Yoga para la felicidad
la salud y otras cosas

Ana Paula Domínguez

mr

Diseño de portada: Ana Paula Dávila
Fotografía de portada: José Luis Castillo
Diseño de interiores: Marco Bautista

Primera edición (Martínez Roca México): noviembre de 2006
ISBN: 968-21-1298-2

Impreso en los talleres de Litográfica Ingramex, S.A. de C.V.
Centeno núm. 162, colonia Granjas Esmeralda, México D.F.
Impreso y hecho en México – *Printed and made in Mexico*

www.editorialplaneta.com.mx
www.planeta.com.mx
info@planeta.com.mx

Índice

Agradecimientos

A mis padres quienes me enseñaron el arte de la concentración y la disciplina. A mis maestros: Yogui Bhajan, por compartir sus enseñanzas. Ravi Kaur Khalsa, mi primera maestra de yoga; a los doctores Dieter le Noir y Vasant Lad, por compartir la ciencia del ayurveda; a Bonnie Bainbridge y Beth Biegler por enseñarme a integrar la mente y el cuerpo en mi práctica de *asanas*; a Óscar Velázquez, mi maestro de Hatha yoga, por su sencillez y sus enseñanzas profundas sobre el cuerpo, el arte y el movimiento.

A todos mis maestros, quienes me han acompañado a lo largo de este camino.

A Guru Dev Singh Khalsa, mi maestro espiritual, quien me ha inspirado para ir hacia la luz, me ha enseñado a reconocer el silencio y a descubrir la felicidad que existe en el simplemente estar.

A mis sobrinos: José Gerardo, Francisco José, Marifer, Daniela y Ricardo.

A mis ahijados Rodrigo y Regina, quienes me pidieron ponerles una dedicatoria. Gracias por recordarme siempre sonreír.

A mi hermana Fernanda por su asesoría de Iyengar yoga durante la sesión fotográfica. A Agoralucis por permitirnos realizar las fotos en su hermoso espacio de yoga.

A mi hermana Gabriela, Mariana Fernández, Óscar Velázquez y Antonieta Osuna por ayudarme a revisar este proyecto.

A Javier Bautista y Socorro Rocha por su apoyo para realizar este proyecto.

A todo el equipo de Editorial Planeta. En especial a Daniel Mesino, por su confianza.

Prólogo

Por mucho tiempo la tradición mística hindú era el privilegio de castas específicas. Fue en el movimiento *Bhakti* en el siglo XIV, cuando algunos maestros y guías espirituales abrieron la enseñanza para beneficio de toda la población.

A partir del siglo XVI y XVII ya se escuchaba de los grandes místicos de la India en Europa. Pero fue hasta mediados del siglo pasado que la búsqueda de los occidentales en relación con el tema místico de Oriente se volvió una especie de moda. Sin embargo, la gente emprendía largos viajes, llevaba sus dólares y regresaba sin nada.

Fue a finales de los sesenta cuando diversos *gurús*, grandes maestros de la India, llegaron a América a enseñar y a compartir sus profundos conocimientos.

Entre estos se encontraban: Swami Satyananda, Krishnamurti, Harbhajan Singh Yogui Bhajan, y más tarde maestros como el doctor Vasant Lad y B.K.S. Iyengar, quienes enseñaron sistemas avanzados de ayurveda y yoga.

Por miles de años, el yoga ha permitido a los seres humanos salir de las delimitaciones del tiempo y del espacio. Esto a través de ejercicios, respiraciones y posturas que modifican el organismo permitiéndonos reducir las resistencias que nos mantienen con una visión limitada, una salud pobre o una estructura mental ineficiente.

Usamos el yoga primero como un sistema curativo psicofísico. Éste permite modificar la tendencia del ser humano a obligar al cuerpo a estar enfermo o neurótico. Al mismo tiempo, funciona como un mapa en la búsqueda espiritual.

En esta obra, Ana Paula nos da una visión simple y profunda de estas enseñanzas. Todas ellas han enriquecido nuestra cultura desde un punto de vista terapéutico, físico y psicológico. Estos conocimientos nos ayudan a hacer referencia a nuestra propia historia mística en donde encontramos caminos semejantes. La separación nos ha conducido a la cercanía. Entendiendo el ayurveda, podemos comprender la herbolaria maya; al entender el tantra y el yoga podemos acariciar la sensación de Quetzalcóatl.

Este libro es un acercamiento en lenguaje comprensible que te puede enriquecer con información y aumentar tu curiosidad.

Guru Dev Singh Khalsa
Ciudad de México, agosto, 2006.

Palabras
de la autora

La vida es como una ola, que a veces nos lleva al éxtasis máximo y luego nos regresa a momentos de sufrimiento, confusión y vacío. ¿Cómo mantenernos ecuánimes, flotando como la flor de loto, mientras la ola sube y baja?

En el mundo occidental, poco nos hablan sobre el funcionamiento del complejo mente-espíritu. Aún menos sobre la relación cuerpo-emociones. Casi nada se dice acerca de las herramientas que existen para procurarnos una vida feliz y sana. ¿Cómo es que la mente afecta profundamente nuestro estado emocional y de salud?

No conocemos la naturaleza de la mente ni de las emociones. En virtud de esto, reaccionamos automáticamente antes de darnos un espacio para responder con calma a las situaciones difíciles de la vida cotidiana. ¿Cómo podemos ser un poquito más ecuánimes? La vida se acelera y muchas veces optamos por ir como robots subidos en un ritmo que no se detiene. Desde ahí, nos queda poco espacio para hacer transiciones y para disfrutar. Todo esto en conjunto, poco a poco nos va dejando agotados. ¿Cómo encontrar el descanso y la relajación? ¿Qué efecto tienen los alimentos que comemos? ¿De qué manera encontrar el equilibrio? ¿Cómo dirigir la vida hacia la plenitud en el sentido más amplio?

Dos tradiciones milenarias de la India, el ayurveda y el yoga contribuyen a darnos una gama de respuestas valiosísimas. El ayurveda es un sistema de salud integral. Es importante reconocer qué nos aleja de nuestro equilibrio y qué nos acerca a él. Todo esto se relaciona con nuestra alimentación, digestión, rutina diaria, estilo de vida y estado mental.

El ayurveda para mí ha sido insustituible ya que funciona como un mapa para aprender a conocernos y saber cómo mantener nuestra salud.

El yoga es una disciplina que está encaminada a experimentar la dicha de ser. Ésta se manifiesta cuando la mente se aquieta y reconocemos nuestra respiración. Después de varios años de vivir en el ritmo neurótico de las corporaciones y en el mundo actual que nos demanda tanto, el yoga me proporcionó herramientas para estar bien y poder hacer mis actividades de forma menos estresada.

En la primera parte presento algunos conceptos básicos del ayurveda, haciendo énfasis en las tres constituciones físico-mentales.

En la segunda parte expongo los fundamentos del yoga desde una perspectiva integral. Al final incluyo una introducción al Kundalini yoga, tal y como fue enseñado por Yogui Bhajan. En mi experiencia, éste es un excelente camino para poder reconocer nuestro ser espiritual y energético, y hacer frente a los tiempos del nuevo milenio. Sugiero meditaciones específicas y hablo de los efectos de cultivar la disciplina y la devoción. Todo esto con la finalidad de poder fluir, explorar y vivir la belleza que existe tanto en el lugar en donde nos encontramos como en este preciso instante en el que estamos respirando.

En la tercera parte propongo, desde la óptica del ayurveda, posturas de Hatha yoga para cuatro casos recurrentes en nuestra sociedad actual: la ansiedad, el insomnio, la gastritis y la obesidad.

La intención al escribir este libro es compartir contigo el regalo que he recibido de mis maestros y el fruto de mi práctica personal. La vida es un proceso en el que podemos ir a ciegas. Una opción es despertar a la magia de reconocer las posibilidades infinitas que se manifiestan cuando dejamos de resistirnos y nos sumergimos en el flujo de la conciencia.

En esencia, somos espíritu. Un buen día, de ese espíritu se manifestó la materia: el cuerpo, nuestro templo. Somos todo: la mente, el espíritu, las emociones, los sentidos, la conciencia, el fuego digestivo, los tejidos en el cuerpo y los deshechos de lo que ya no funciona.

Somos dinámicamente, recreándonos y reinventándonos.

Yoga para la felicidad se escribe desde el espíritu, con el único propósito de que podamos reencontrar el sentido de nuestra vida, ser felices, sanos y abundantes.

Así sea

Ana Paula Domínguez
Ciudad de México, 4 de septiembre, 2006.

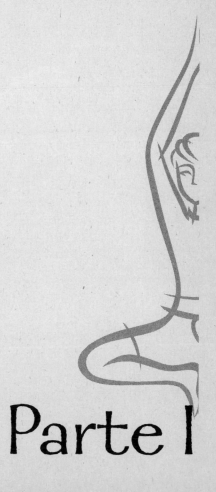

Parte I

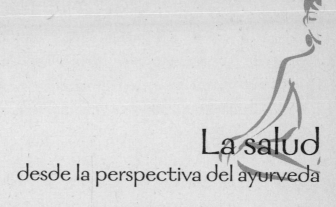

La salud
desde la perspectiva del ayurveda

Enfrenta la calamidad con una sonrisa y muere con gracia. Así vivirás como humano. No es humano estar siempre en la cobardía, en el llanto y en la confusión. Nuestra vida debe ser contenida, contenta y continua. Lo mejor es enfrentar la vida así como la vida se presenta ante ti.

Yogui Bhajan

El concepto de salud en Occidente

Hasta donde conozco, en la escuela pocas veces nos hablan sobre qué es realmente la salud. Tal vez nos hagan aprendernos todos los huesos del cuerpo en un par de clases de anatomía. Quizá nos enseñen las diferentes especialidades médicas que a menudo tratan al individuo como si fuera una máquina separada en partes y sistemas. Es raro que exista una instrucción sobre cómo podemos generar salud en nuestra vida. En medio de todo esto, escuchamos un aislado llamado a la salud: "Come frutas y verduras".

A diferencia de Oriente, en donde "el menos es más", en Occidente, parece que nos regimos por el "quiero más, porque más es mejor". Así la vida pasa. Vamos por el camino del exceso, del "como lo que quiero y hago lo que me da la gana", todo esto sin restricción alguna. De esta manera, el mundo occidental nos abre las puertas para cultivar un estilo de vida hedonista.

Tal vez hasta los veintitantos años, podemos alimentarnos de comida chatarra, beber en exceso y hacer lo que queramos. Sin embargo, un día, si no nos restringimos un poco y seguimos cometiendo, como dice el doctor Robert Svoboda[1], "crímenes contra la naturaleza", el cuerpo se las cobra todas.

El ayurveda, "la madre ciencia de todas las formas de sanación", tal como lo describe el doctor Vasant Lad[2], es un conocimiento de más de 5,000 años que nos hereda la cultura de la India. Esta sabiduría nos enseña que si seguimos un proceso de autobservación podemos generar salud, prevenir las enfermedades y en la medida de lo posible contrarrestarlas.

La principal diferencia que existe entre el ayurveda y la medicina alópata es que el ayurveda estudia la salud y los medios para conservarla. La medicina alópata se centra en tratar los signos y síntomas físicos para suprimir las enfermedades. La alopatía es una medicina que va de afuera hacia adentro y fragmenta al individuo en partes y sistemas.

Por un lado, la medicina ayurvédica ve al individuo como único e integral. Por el otro, cura de "adentro hacia afuera", es decir, elimina la causa básica del desequilibrio interno que tiene manifestaciones externas.

> El ayurveda cura al remover la causa de la enfermedad.
> Maya Tiwari

Para restablecer el equilibrio y por lo tanto la salud, se adopta un enfoque físico-psicológico. El ayurveda no considera que la salud es la mera ausencia de enfermedades, sino un equilibrio intrínseco de mente-cuerpo-ser.

El propósito del ayurveda es ayudar a la persona sana a mantener su salud y a la que está enferma a recuperarla, para esto nos da herramientas de autoconocimiento.

El concepto de salud en Oriente

"Establecerte en ti mismo". Ésta es la definición de salud. Viene del término sánscrito *svastha* que tan bien ha explicado el doctor Robert Svoboda.

¿Cómo podemos establecernos en nosotros mismos?

Primero que nada, hay que reconocer que no podemos ser totalmente individuales. Somos parte de la naturaleza, por lo tanto, necesitamos conocer sus ritmos para así acoplarnos y fluir con ellos.

El sistema de salud de Oriente nos ofrece herramientas para aprender a transitar por la vida en un sendero de equilibrio. En él participamos y tenemos la opción de procurarnos, en la medida de lo posible, una vida de bienestar y de salud, antes de que la enfermedad se manifieste.

Establecernos en nosotros mismos, de acuerdo a la interpretación de Svoboda, es una responsabilidad personal.

No hay mucho de donde escoger: o nos limitamos o la naturaleza nos limita. ¿Cuántas veces después de una temporada en la que trabajamos en exceso, en la que no descansamos o nos excedimos de una u otra forma, no acabamos con una terrible gripe o con una pierna rota que nos obligó a detenernos?

Está abierta la invitación para que a partir de hoy reconozcamos nuestra naturaleza y aprendamos a escucharnos, a detenernos, a aprender cuándo necesitamos descansar o divertirnos.

¿Acaso no lo que la mayoría realmente anhelamos es ser felices?

Para acercarnos a esto sólo basta hacer observaciones tan sencillas tales como reconocer cómo somos; cómo es el clima en donde vivimos; las cualidades de nuestro entorno; la calidad de los alimentos que consumimos; el estilo de vida que llevamos; la naturaleza de nuestras emociones; de nuestro cuerpo físico, que es único; y de la naturaleza de nuestra mente.

Al hacer estas observaciones, poco a poco podemos aprender a reconocer las causas de aquello que nos saca de nuestro equilibrio y de lo que nos mantiene en él. También podemos explorar el camino de en medio. En este mapa que no es permanente, todo es posible. Aquí podemos movernos, descubrirnos, reinventarnos, recrearnos y conocernos.

"Todos debemos de tener un verdadero hogar a donde regresar, dentro y fuera de nosotros."[3]

Pensamos que lo divino está en el templo y olvidamos reconocer el templo que está en nuestro cuerpo y lo divino de nuestros corazones, del ritmo de la respiración, que es la vida. Y nos vamos fragmentando...

Somos expresiones divinas, todos unidos en una misma conciencia.

El ayurveda, la ciencia de la vida

> Ve la luz y la divinidad en todos.
>
> Yogui Bhajan

Hace miles de años en la India, existían los *rishis*[4], seres que se dedicaban a observar todo lo que existía. Al detenerse y contemplar, pudieron experimentar y comprender la tendencia y el ritmo de la naturaleza, de la vida.

Ellos se dieron cuenta de que todo, los animales, las plantas, los seres humanos, estaban conformados por cinco elementos.

Encontraron que los ritmos del ser son similares a los ritmos de la naturaleza. Comprendieron que al conocer los elementos, las cualidades del ser y sus tendencias, es posible conocer el funcionamiento del cuerpo. Entendieron qué es lo que genera salud, qué es lo que genera enfermedad y qué es lo que permite tener una vida longeva, feliz y armónica[5].

> Ayurveda es en donde se dice qué es benéfico y qué causa enfermedad; cuáles son los estados de felicidad y de sufrimiento; qué suprime y qué promueve la vida; cuáles son los medios de tratamiento.
>
> Charaka Samhita
> Sutra 17

Hasta hace 5,000 años, después de haber transmitido estos conocimientos en forma oral, generación tras generación, se compilaron estas enseñanzas. A este conocimiento se le llamó ayurveda, la ciencia de la vida.

> Ayurveda: proviene del sánscrito *ayur* que significa vida, y de *veda* que significa conocimiento.

De acuerdo con el ayurveda, una persona es sana si tiene un estado de equilibrio en su cuerpo físico, en su mente y en su espíritu:

Cuerpo físico

1. *Agni*: el fuego digestivo.

2. *Doshas*: las tres energías dinámicas en el cuerpo.

3. *Dhatus*: los tejidos en el cuerpo físico.
En el cuerpo humano, existen siete tejidos tal y como lo explica el ayurveda, y cada uno de ellos es indispensable para la nutrición del cuerpo a nivel celular. Los siete tejidos son: *rasa* (tejido linfático), *rakta* (tejido circulatorio), *mamsa* (tejido muscular), *meda* (tejido adiposo), *majja* (tejido nervioso), *asthi* (tejido óseo), *shukra* (tejido reproductivo).

4. *Malas*: los deshechos.
Existen tres tipos de deshechos en el cuerpo: *mutra* (orina), *purisha* (heces), *sveda* (sudor).

5. Las tres mentes.

Según el ayurveda, la mente se expresa como luminosa (*sátvica*), activa (*rajásica*) y concreta (*tamásica*).

Satva. La mente clara

Una mente clara, pura, servicial y compasiva. Una mente *sátvica*, se manifiesta al seguir una dieta ligera, conformada de frutas, granos, agua; al levantarnos temprano, siguiendo los ritmos de la naturaleza y al cultivar una actitud de atención, de servicio, de honestidad.

Rajas. La mente en movimiento

Una mente pasional, en movimiento, mundana, activa, ambiciosa, hedonista, competitiva. La propician alimentos como el jengibre, la cebolla, el ajo y el picante.

Tamas. La mente inerte

Una mente *tamásica*, egoísta, burda, inerte, apegada, a veces violenta. La propicia un ambiente denso, alimentos pesados como la carne, los quesos, los embutidos, el alcohol y las drogas.

Tenemos la opción de cultivar una mente clara, una mente burda o una mente activa. Como explica Yogui Bhajan:

Somos humanos y tenemos tres aspectos: *satva, rajas* y *tamas*. Somos reales, angelicales, humanos, racionales, somos pasionales. Por otro lado, somos animales, bestias y violentos. Si juntamos estas tres cualidades estaríamos en shock. Sin embargo, al conocerlas y mantenerlas bajo nuestro control, seremos felices. Cuando entran en conflicto, somos infelices.[7]

6. Sentidos.

Los sentidos son las puertas de la percepción a través de las cuales conocemos lo que sucede en el medio ambiente. Desgraciadamente, algunos de nuestros sentidos están agotados y trabajan a marchas forzadas, en especial el sentido de la vista y el sentido del tacto, que al parecer son los que más usamos. Por otro lado, nuestro sentido de la escucha (oído), de estar presente con el otro; nuestro sentido del tacto, de acariciarnos y abrazarnos o nuestro sentido de realmente degustar cada alimento que comemos, son los que menos utilizamos. El equilibrio al que podemos aspirar a través del ayurveda, es también balancear el uso de nuestros sentidos.

Espíritu

7. La conciencia.

Somos espíritu, una misma conciencia y todos estamos interrelacionados, pero sencillamente lo olvidamos y muchas veces ponemos toda nuestra atención en atender las necesidades personales, las que satisfacen a nuestra importancia personal, y cultivamos poco nuestro espíritu, el alma. Yogui Bhajan decía que el "espíritu es lo único que prevalece" y por eso el ayurveda señala que para encontrar nuestro equilibrio, es fundamental cultivar nuestra vida espiritual, nuestra atención a cada momento, nuestro interés por el otro, la meditación y el rezo.

El sustento filosófico del ayurveda

De las siete visiones filosóficas de la India,[6] el fundamento del ayurveda lo encontramos en la filosofía Sankhya, fundada por el sabio Kapila.

Esta filosofía explica cómo todo se encuentra en un estado no manifiesto y puede manifestarse o no:

1. En el origen el estado era el de *avyakta*, en donde *purusha* (lo masculino) y *prakruti* (lo femenino) eran inseparables, una conciencia no manifiesta.

2. En este estado las tres *mahagunas* estaban equilibradas: la mente clara (*satva*), la mente activa (*rajas*) y la mente inerte (*tamas*).

3. Profundiza cómo en este estado de *avyakta* todo se encuentra en un estado no manifiesto y puede ser o no manifestado.

4. Al principio todo era conciencia pura y a través de una serie de etapas, la conciencia se manifestó en los cinco elementos de la existencia material.

La filosofía *Sankhya* reconoce que todas las posibilidades existen y todo puede ser o no manifestado, una emoción de tristeza o una de alegría. Que los seres humanos, a pesar de ser únicos y tener un radio de acción y una delimitación concreta, somos cada uno una expresión de la conciencia pura.

ETAPAS DE LA MANIFESTACIÓN DE LA CONCIENCIA EN LA EXISTENCIA FÍSICA

a. En un principio *purusha* y *prakruti* se encontraban inseparables en un estado de conciencia no manifiesta.

b. La vida inició porque emergió la vibración del sonido AUM y *purusha* se reflejó en *prakruti*. A raíz de la interacción de *purusha* y *prakruti* sucedió la primera manifestación de la conciencia: *prakruti*, el principio femenino se manifestó.

c. A partir de esto, el universo se manifestó después de varias etapas.

d. Surgió *mahat*, la inteligencia universal colectiva, el medio a través del cual *prakruti* se reflejó en *purusha* que puso en interacción a los tres tipos de mente.

e. De esta inteligencia universal surgió el intelecto (*buddhi*).

f. De este intelecto surgió la identidad personal o ego (*ahamkara*) que implicó un centro con un radio y unos límites.

g. De esta identidad, surgió una interacción de los tres tipos de mente: *satva, rajas* y *tamas*.

h. De *satva* surgen los cinco órganos motores: boca, manos, pies, órganos reproductivos, ano; los cinco órganos de conocimiento: oídos, piel, ojos, lengua y nariz; y la mente.

i. De *rajas* surge el movimiento dinámico.

j. De *tamas* surgen los cinco grandes elementos (*panchamahabutas*): espacio, aire, fuego, agua, tierra. También los cinco elementos sutiles (*tanmatras*): oído, tacto, vista, gusto y olfato.

La mente como herramienta para generar salud

Esta historia la contó el doctor Vasant Lad. Hace referencia al tema de la mente:

"Había una vez un hombre en la India llamado Govinda que fue con un doctor, y le contó la historia de los malestares y dolencias que tenía.

Govinda estaba tomando una taza de café y ahí se reflejo una pequeña lagartija. Govinda pensó que se había tragado la lagartija y, después de unos días, fue con un médico, para contarle que ahora vivía una lagartija en su estómago y que le estaba molestando, que por favor lo revisara.

El médico despachó a Govinda diciéndole que no tenía ninguna lagartija en el estómago. Govinda, desesperado, fue con uno y con otro doctor, pero todos los médicos pensaron que estaba mal de sus facultades mentales.

Un día Govinda llegó al consultorio del médico Vasant Lad y le dijo: 'Doctor, doctor, nadie me cree pero tengo una lagartija que me tragué hace un año tomando café.'

Entonces Vasant Lad lo revisó y le dijo: 'Señor querido, fíjese que efectivamente usted no sólo tiene una lagartija chiquita, sino dos lagartijas, porque la primera ya tuvo una lagartija que también está adentro de su cuerpo.'

Govinda se puso muy contento y le dijo: 'Sí doctor, usted tiene razón. Por eso siento molestias en dos diferentes partes del cuerpo.'

Vasant Lad le hizo una terapia específica. Al mismo tiempo, pidió a uno de sus discípulos que atrapará a dos lagartijas, una más grande y una chiquita y que las pusiera en un bote.

Al finalizar el tratamiento médico, el doctor le enseñó

a Govinda las largartijas y le dijo que eran la madre y el hijo que estaban en su cuerpo y que ahora ya podía estar tranquilo sin molestias, ni dolores. Govinda abrazó a Vasant Lad y se fue muy contento. En realidad Govinda no tenía estas lagartijas en su cuerpo, pero Vasant Lad sabía que esta forma era quizás la única de curar las molestias de Govinda."

Esta historia nos muestra cómo a veces las enfermedades son sólo una creación de nuestra mente.

Todo es lo que creemos que es. A veces tenemos la idea que porque nos caemos en un lugar, nos tendremos que caer de nuevo, y nos olvidamos de que cada momento es un momento nuevo.

¿Qué estamos manifestando en nuestra vida? ¿Cómo son nuestros pensamientos?

¿Cuántas veces nos quedamos condicionados con una idea fija sobre algo que alguna vez escuchamos o algo que nos dijeron?

La única constante en el mundo es el cambio.

Primera ley de la termodinámica: nada se crea ni se destruye todo se transforma.

En Occidente le hemos dado un gran peso al proceso mental. Muchas veces nos olvidamos de lo que nos dice el cuerpo, de lo que sentimos.

Como bien explicó Carl Jung en 1938:

Es muy posible que la India sea el mundo real y que el hombre blanco viva un mundo de abstracciones... La vida en la India no se ha ido a la cápsula de la cabeza. Es el cuerpo completo el que vive. Cuando caminas con los pies descalzos, ¿cómo olvidar la tierra?[8]

Hay una gran conexión de la mente con el cuerpo. Todo puede o no manifestarse.

La mente no es nada más que pensamientos. Como son nuestros pensamientos, en eso nos convertimos:

La mente actúa y reacciona con base en cosas externas. Si tus pensamientos son de angustia, la mente te convierte en un ser angustiado. Como son tus pensamientos, es tu mente y eres tú. Si tienes pensamientos de desesperanza, haces que tu cuerpo pierda la esperanza y se rinda ante la enfermedad. Pensamientos sanos, crean salud. La percepción correcta se da cuando vives en este momento y ves las cosas sin juicios, como si vieras u olieras una flor por primera vez.[9]

Pensamos que tenemos que hacer muchos cambios externos o inclusive que tenemos que cambiar a los demás, pero tenemos suficiente si empezamos por conquistar nuestra propia mente como sugiere Guru Nanak[10]:

Yogui, básate más en el contentamiento que en la castidad, más en la modestia que en el rechazo de los bienes materiales. Y en vez de abnegarte en nombre de la religión ponte a meditar. En vez de hacerte miserable, disfruta de la vida sabiendo que durará sólo un momento. Deja que tu camino escogido sea una vida de pureza. Una vez que has conquistado tu mente, habrás conquistado el mundo.[11]

Los cinco elementos

Cada árbol y montaña, las nubes, el riachuelo, reflejan la luz del universo.

Cuando observamos la belleza de un riachuelo a la luz del sol, o probamos el néctar de un durazno maduro, cuando nuestra piel es acariciada por el viento o nuestras fosas nasales experimentan la fragancia de una flor, estamos teniendo la experiencia de los elementos. La tierra es nuestro cuerpo físico, el agua su fluido; el fuego son los ácidos y las enzimas del cuerpo; el aire es el *prana* y la respiración; el espacio es la vibración de todos los sistemas juntos. Guardamos la memoria de los cinco elementos en nuestro cuerpo físico. La memoria de la tierra se guarda en el corazón; la del agua en los riñones; la memoria del fuego en los intestinos; la memoria del aire en los pulmones; la memoria del espacio se ha guardado en el cerebro. Cada uno de nosotros contiene una específica configuración de estos elementos que se transmutan en los tres *doshas*.[12]

Estamos tan desconectados de nuestra naturaleza que en ocasiones comprenderla, a pesar de lo obvio, puede ser francamente complicado. En este libro se expondrá de la forma más sencilla este tema, que es vital en el proceso de autoconocimiento.

Si queremos saber cómo funciona la naturaleza, quiénes somos, cómo funcionamos dentro de ella, cómo podemos entonarnos con los ritmos de la naturaleza, es indispensable comprender las cualidades y la naturaleza de los elementos, los cinco estados de todo lo que existe a nivel físico.

Al comprender que percibimos estos elementos, podremos entender cómo hay unos elementos más sutiles y otros más densos.

La manifestación más sutil de la conciencia es el espacio. El espacio es el lugar en donde todo sucede. Al espacio lo percibimos únicamente a través del sentido del oído (el silencio o el sonido).

Le sigue el aire como el segundo elemento manifestado. El aire lo percibimos a través del oído (el sonido del viento) y a través del tacto (la sensación del aire tocando la piel).

Enseguida, menos sutil, se manifiesta el elemento fuego, al cual percibimos como sonido (el tronido de la leña al quemarse); como sensación táctil (cuando tocamos el fuego); y el sentido de la vista (la visión del fuego y sus llamas ascendiendo).

Más densa y menos sutil que el fuego, se manifiesta el agua. Al agua la escuchamos y la podemos ver (las olas del mar rompiendo); la sentimos en la piel (cuando podemos flotar y descansar en ella); y la podemos degustar (la sensación de tomar agua en un momento en que tenemos sed).

La manifestación más densa de la conciencia es la tierra. Podemos escucharla (el sonido que se produce en un terremoto); tocarla (al amasar la tierra entre las manos); verla (la montaña en el horizonte); degustarla (cuando se prueban los minerales que emanan de la tierra) y finalmente olerla (el olor a tierra mojada).

David Frawley explica:

La tierra manifiesta la idea de solidez o estabilidad; el agua manifiesta la idea de liquidez o fluidez que permite la vida; el fuego manifiesta la idea de luz que permite la percepción y el movimiento de un lugar a otro; el aire manifiesta la idea de movimiento sutil, que manifiesta las ideas de dirección, velocidad y cambio, brindando la base para el pensamiento. El espacio manifiesta la idea de conexión, permitiendo el intercambio entre todos los medios materiales, la comunicación y la expresión. Para explicarlo de otra manera, el éter o espacio manifiesta la idea de espacio, aire, tiempo; el fuego manifiesta la idea de luz; el agua de vida, la tierra de forma. Así como las diferentes líneas y colores que usa un artista, estos diferentes medios son necesarios para que la Inteligencia Cósmica se exprese a sí misma.[13]

Ver Anexo 1. Tabla de los elementos

Tierra

Es el elemento más denso de la manifestación de la conciencia.

En el cuerpo la tierra se manifiesta como los huesos, los dientes, los músculos, las uñas, la materia fecal, la piel, los tejidos en el cuerpo. Es el elemento que da estructura al cuerpo.

Es el único elemento que percibimos con todos nuestros sentidos.

Sus cualidades y atributos son: pesadez, densidad, estabilidad y dureza.

Órgano de acción: ano.

Su símbolo asociado es el cuadrado.

Agua

Es el solvente químico universal. Cumple con la función de nutrir, lubricar y juntar. En el cuerpo se manifiesta como todos los fluidos: saliva, plasma, citoplasma y orina. Es el medio por cual todos los procesos metabólicos suceden.

Al agua la percibimos a través del sentido del gusto, de la vista, del tacto y del sonido.

Sus cualidades y atributos son: pesadez, movilidad, aspereza, densidad y liquidez.

Órgano de acción: órganos reproductivos.

Su símbolo asociado es la forma de la luna creciente.

Fuego

El fuego es el la fuerza que transforma. Se manifiesta como el metabolismo en el cuerpo, las enzimas digestivas, la temperatura corporal, el color y el brillo del cuerpo.

Al fuego únicamente lo percibimos a través de tres de nuestros sentidos: la vista, el tacto y el oído.

Sus cualidades y atributos son: calor, intensidad, ligereza, expansión y sutileza.

Órgano de acción: pies.

Su símbolo asociado es el triángulo.

El fuego representa el *tejas*[14], la esencia de la claridad, de la inteligencia, la flama que nos permite tener atención y discernimiento.

Aire

Es el principio de movimiento. En el cuerpo se manifiesta en los impulsos nerviosos y en las respuestas motoras; es el aire y el gas; y la circulación y la respiración.

Al aire lo percibimos a través del sentido del tacto y del oído.

Sus cualidades y atributos son: claridad, ligereza, aspereza, sequedad, frialdad y movilidad.

Órgano de acción: manos.

Su símbolo asociado es el rombo de seis lados.

En una piedra sobre la montaña. Es el desierto de Real de Catorce. Es la noche. Es el frío. Es esta oleada de viento helado que roza la cara. Cierra los ojos, y sigue sintiendo este aire poderoso que te quiere llevar. Y llega el momento que esperabas, y que manifiesta un sonido como chiflido, el sonido del aire que suena como película de terror. Es el aire que es capaz de expandir un pequeño fuego y prender varios kilómetros de bosque. Es el aire que reseca la piel y la vuelve áspera, es el aire el que se manifiesta en cada exhalación y cada inhalación en cada uno de nuestros movimientos.[17]

Espacio

El espacio, también llamado *éter*, es el lugar en donde suceden las cosas. El espacio entre las galaxias; el núcleo y el electrón; y las células.

En el cuerpo son los espacios vacíos, las cavidades, la libertad y el amor. Es en el estado de meditación en donde uno percibe el espacio.

Lo percibimos únicamente a través del sentido del oído, manifestado como silencio o sonido.

Sus cualidades y atributos son: claridad, ligereza, suavidad, sutileza y frialdad.

Órgano de acción: boca.

Su símbolo asociado es el círculo.

> El espacio es la vibración de todos los sistemas juntos.
> Maya Tiwari

La conciencia se expande y crea espacio; la movilidad de la conciencia es el aire; la concentración (fricción) es la conciencia del fuego; la condensación de la conciencia es agua, emoción; la consolidación del conciencia es la tierra, cristalización.[15]

Los diez pares de cualidades

Todo lo que existe está conformado por cinco elementos que tienen alguna o algunas de las siguientes cualidades:

LOS DIEZ PARES DE CUALIDADES

frío	caliente
pesado	ligero
blando	filoso
grasoso	seco
viscoso	áspero
denso	líquido
suave	duro
estático	móvil
sutil	tosco
nebuloso	claro

Vasant Lad decía que lo más importante es entender estas cualidades. Sólo así podemos conocer la vida y sabremos reconocer cómo vivir en armonía.

Aquí, en este momento, hay que comprender una ley básica del ayurveda:

> Similar aumenta similar, todo se cura por fuerzas contrarias.

Para poder entender esta ley, supongamos que tenemos un síntoma de gastritis, que es un exceso de calor en el cuerpo. Si decidimos comer picante, cuya cualidad es caliente, el síntoma de gastritis se agravará. La cualidad contraria al calor es el frío. Entonces para curar el síntoma, hay que escoger una fuerza contraria y elegir un alimento de cualidad fría. Podría ser un jugo de pepino o una agua de coco.

Este es un ejemplo de cómo podemos participar en la vida diaria para procurarnos salud.

En el Anexo 2 conocerás más sobre los pares de cualidades. Asimismo en el Anexo 4 encontrarás una tabla para conocer las cualidades de los alimentos básicos.

Las tres constituciones físico-mentales

De acuerdo al ayurveda, de la combinación de los cinco elementos se originan tres tipos de energías dinámicas en el cuerpo, que son conocidos como *doshas*.

LOS TRES *DOSHAS*

Vata. Espacio y aire
Pitta. Fuego y agua
Kapha. Agua y tierra

Estas tres energías están presentes en el ser humano. Sin embargo, algunos tenemos mayor proporción de una de estas energías que de otra. Lo interesante, además de entender cuál de estas energías predomina en nosotros, es saber cómo funcionan. De esta manera comprenderemos qué es lo que nos saca de nuestro equilibrio y qué nos regresa a él.

Estos *doshas* se relacionan con los cinco estados de la existencia material: espacio, aire, fuego, agua y tierra, y determinan nuestras condiciones de crecimiento, envejecimiento, salud y enfermedad; nuestras tendencias emocionales y mentales; así como nuestra constitución física.

Los *doshas* nos impactan en dos niveles principales:

Primero, son los factores que producen el cuerpo físico y son responsables de su funcionamiento.

Segundo, uno de los tres *doshas* predomina en cada individuo y se convierte en la base que determinará su constitución física y mental particular. Cuando hablamos de los *doshas* nos referimos a sus hábitos individuales y tendencias en cuanto a su estructura corporal y respuestas emocionales.[16]

El concepto del equilibrio y el desequilibrio

Ahora revisaremos cuál es la constitución físico-mental en equilibrio (*prakruti*) y la constitución físico-mental en desequilibrio (*vikruti*). Posteriormente, podremos saber cuál es nuestro *dosha*.

> Constitución en equilibrio (*prakruti*)
> Constitución en desequilibrio (*vikruti*)

Como ya mencioné anteriormente, en todos y cada uno de nosotros se manifiestan las tres energías dinámicas: *vata*, *pitta* y *kapha*.

En general, alguna de estas fuerzas es predominante y expresará cómo funcionamos a nivel físico, mental, fisiológico y emocional.

La energía principal se determina, de acuerdo con el ayurveda, en el momento en el que nacemos dependiendo de los siguientes factores:

1. Calidad del óvulo y del esperma
2. La temporada del año en la que fuimos concebidos
3. Hora de nacimiento
4. Dieta de la madre, estilo de vida y estatus emocional
5. Constitución o tipo del padre y la madre
6. Disposición planetaria

Prakruti. Constitución del equilibrio

Es la fórmula y combinación de las tres energías que se manifestó en mí al nacer y que nunca cambiará. Éste es mi estado de equilibrio.

No hay una combinación mejor que otra. La combinación que tengo es la perfecta y es a la que a lo largo de mi vida anhelo regresar.

Vikruti. Constitución en desequilibrio

Sin embargo, el lugar en el que vivimos, el estilo de vida que llevamos, los alimentos que consumimos y nuestra rutina diaria afectan el equilibrio de las tres fuerzas dinámicas y podemos caer en desequilibrio. Entenderemos a la salud como un proceso dinámico. Entonces, nuestra constitución físico-mental es el mapa de nuestra salud. Cuando nos salimos de ese mapa, y alguna de las energías aumenta o disminuye, decimos que nuestro *dosha* está en desequilibrio.

¿Cuál es la aplicación de este conocimiento? Al observar nuestra vida podemos descubrir si nos estamos moviendo dinámicamente en el mapa de nuestro *prakruti* y de ese *dosha* particular con el que nacimos.

> El proceso de salud es dinámico y se va moviendo y transformando a lo largo de la vida.

Recapitulando

Si logro comprender en dónde está mi equilibrio mental, físico y emocional, voy a poder cambiar mi rutina diaria, mi estilo de vida, los alimentos que como y la gente con la que me relaciono. De esta manera, en mayor o menor medida puedo buscar un estado de salud óptimo y una armonía.

Vasant Lad siempre nos lo decía: no se trata de fórmulas exactas o de saber con precisión cuál es nuestra constitución o *dosha*. Se trata de aprender a reconocer qué cualidades existen en nuestra psique y en nuestro cuerpo, y cuáles se están saliendo de equilibrio.

Por ejemplo, al reconocer las cualidades de la naturaleza que se manifiestan en nosotros en una determinada temporada del año, podemos complacernos. Así, durante el verano, nos podemos comer un helado, disfrutar enormemente de los baños de agua fría y consumir una bebida helada para refrescarnos. De esta manera, disminuiremos el exceso de calor en nuestro cuerpo.

El ayurveda propone encontrar un equilibrio en la vida. No vamos a cambiar quienes somos originalmente, nuestro *prakruti*, pero sí podemos ir encontrando el equilibrio.

El ayurveda es un camino de auto-observación.

Hagamos una pausa para contestar un cuestionario y conocer nuestro *prakruti vikruti*. Ve al Anexo 3.

Estudiemos ahora la manifestación de *vata*, *pitta* y *kapha* en un nivel físico, mental y espiritual.

VATA. El principio de movimiento

El espacio y el aire conforman el principio de movimiento en el cuerpo. Éste es conocido como *vata*.

El sistema nervioso es principalmente *vata* y controla todos nuestros movimientos, así como cada inhalación y cada exhalación. Permite que la energía se libere. Sin embargo, un exceso de movimiento puede ocasionar un sistema sobre estimulado. Se libera a través del gas y de la energía nerviosa o muscular.

Cualidades

Vata posee todas las cualidades que usualmente asociamos con el aire. Seca como una ligera brisa de aire puede secar la ropa; enfría como una brisa puede enfriar el cuerpo al evaporar el sudor de la piel. Tiene la cualidad de la aspereza como el viento del desierto. Es errático o irregular.

La resequedad es un efecto colateral de la movilidad, que es la función fisiológica de *vata*. El exceso de resequedad promueve la irregularidad en el cuerpo y en la mente.[17]

Cualidades principales: irregular, seco, frío, ligero, móvil y áspero.

Expresión física

El aire como principio de movimiento es el que describe la expresión física del tipo *vata*. Predomina el aire y el espacio como fuerza o energía primaria. El aire en movimiento arrasa con la parte de fluidez y viscosidad del cuerpo, manifestando entonces una complexión delgada, una piel que tiende más a ser seca y áspera; articulaciones que quizás truenan y sean poco flexibles. La irregularidad del aire, se manifiesta físicamente como dientes chuecos, brazos o muy largos o muy cortos; nariz desviada o angular y sobre todo articulaciones muy marcadas. Los pies y manos tienden a estar fríos y el cabello también recibe los efectos del viento que lo hace reseco con tendencia a manifestar orzuela. Las uñas se rompen con facilidad y los *vata* suelen "comerse las uñas". Sus ojos son pequeños y pueden estar muy juntos o muy separados. Su digestión es también irregular, pasando por períodos de estreñimiento y otros de diarrea. Aunque se muestran como si tuvieran gran cantidad de energía, en realidad se fatigan con facilidad, pero les cuesta trabajo aceptar que necesitan descansar.

Expresión emocional y mental

Lo primero que muestran es miedo o ansiedad. Pueden cambiar con facilidad y les cuesta trabajo tener una rutina. Son muy flexibles pero pueden caer en el caos o en la dispersión mental; les cuesta trabajo concentrarse y tienden más a la hiperactividad. Les encanta hablar, pero les cuesta trabajo escuchar y estar. "Pueden ser inseguros y pasar por periodos en los que desean estar rodeados de personas y otros en los que prefieren el aislamiento."[18]

Causas de agravamiento:

1. Alimentos picantes y astringentes
2. Comer alimentos recalentados
3. Comida cruda y seca
4. Comer poco y rápidamente
5. Sobre estimulación
6. Contener las necesidades fisiológicas
7. Dormirse de madrugada
8. Hablar mucho y fuerte
9. Exceso de actividades
10. Exceso de ejercicio
11. Alimentos secos
12. Otoño
13. Exponerse al viento

Síntomas físicos de agravamiento:

1. Hernia
2. Distensión abdominal y gas
3. Estreñimiento
4. Piel áspera y seca
5. Ligamentos frágiles
6. Ciática
7. Lumbago
8. Palpitaciones
9. Desórdenes neuromusculares
10. Parálisis
11. Zumbido en los oídos
12. Entumecimiento

13. Ansiedad, preocupación, inseguridad

14. Aislamiento

15. Fatiga crónica

16. Hipersensibilidad emocional

17. Vértigo

18. Falta de concentración

Rutina para su equilibrio

La calidez es clave para equilibrar *vata*. Tomar un baño de sol; humectar la piel con aceite tibio de ajonjolí; ir de vacaciones a una playa o a un lugar de clima caliente; y usar, ya sea en su vestimenta o en sus habitaciones, colores como el amarillo, el rojo, el naranja o simplemente colores brillantes y metálicos. Evitar lugares de clima frío o en donde sople el viento, o con polvo y con altitud muy elevada. El tipo *vata* ha de tranquilizarse, dejar de pensar en hacer muchas actividades. A pesar de que la creatividad florece en sus mentes, deben de concentrarse en hacer pocas actividades. Es preferible realizarlas de modo consistente, con regularidad, con tranquilidad y calma. Para el tipo *vata*, es fundamental aprender a escuchar al otro; detener el pensamiento constante que sobreviene inclusive cuando está en medio de una charla. Debe verdaderamente estar. Estar presente en cada momento, con cada persona con la que convive. El viajar constantemente; moverse de un lugar a otro; estar aquí y allá; hacer muchas actividades dejarán al *vata* fatigado y con una sensación de aislamiento y soledad.

El *vata* ha de procurar y practicar el "pararse sobre sus propios pies". Es natural que el *vata* trate de ir de un pensamiento a otro y de una postura filosófica a otra; y de pensar hoy algo y negarlo mañana, de querer ser, de querer lograr. El *vata* por sí mismo tiene un gran potencial para despertar su ser espiritual. Ha de aprender a detenerse, a cerrar los ojos, a sentir el cuerpo y a practicar el no hacer. Cubrir su cuerpo con una manta para meditar es muy indicado, y esta manta ha de convertirse en eso que le lleva a encontrarse en su centro, a encontrar la calidez en su propio ser. Ha de evitar la soledad o el aislamiento en exceso y rodearse de gente cálida con la que pueda tener contacto físico y en donde se pueda sentir contenida o contenido. Ha de evitar estar yendo de un lado a otro y darse la oportunidad de estar en su casa, de crear un espacio de calidez y en donde se sienta a gusto.

En cuanto al ejercicio físico, para el *vata* es poco recomendable practicar deportes en donde esté yendo en contra de la gravedad, como los aeróbicos, el correr, brincar o escalar. Ha de preferir deportes suaves como la natación, la caminata con la modalidad de tener conciencia de cada paso que se da; el tai-chi, el chi-kung y el yoga suave.

En especial recomiendo que de serle posible, estudie disciplinas como la que sugiere Bonnie Bainbridge Cohen en su escuela "The Body Mind Centering", con la idea de aprender a centrar la mente y el cuerpo. En general, debe disminuir su actividad y dirigir la mente a un ritmo más suave, consciente de la respiración en cada momento.

Por último, practicar la regularidad y aquel dicho taoísta: "menos es más". Sobre todo, el *vata* ha de aprender a descansar.

Dieta sugerida

- Ingerir alimentos dulces, agrios y salados
- Comida pesada y tibia. (Evitar verduras crudas)
- La comida japonesa, en especial la sopa miso, es ideal
- Evitar el hielo y las bebidas muy frías
- Fundamental tomar un vaso de agua tibia en ayunas y a sorbitos, para aliviar el estreñimiento y mejorar su digestión

Hatha yoga para vata. *Consultar cuaderno de posturas*

PITTA. El principio de transformación

El agua y el fuego conforman el principio que transforma en el cuerpo. Éste es conocido como *pitta*. El sistema digestivo es principalmente fuego o *pitta*. Éste transforma y controla los procesos de digestión física y mental. *Pitta* no es la bilis, pero sí la fuerza que causa que emerja.

Cualidades

Pitta es grasoso y como el fuego es intenso, caliente y ligero. Sus cualidades de fluidez y liquidez derivan del hecho de que el fuego está contenido en agua, razón por la cual tiene la capacidad de digerir y transformar. El calor es el efecto colateral de la transformación, que es la función fisiológica de *pitta*. La intensidad del exceso de calor, produce irritabilidad en la mente y el cuerpo.[19]

Cualidades principales: caliente, grasoso, ligero, intenso, fluido y líquido.

Expresión física

El fuego es el elemento principal de esta fuerza o energía que manifiesta al tipo *pitta*. Así como el color y la intensidad del fuego, la piel del *pitta* tiende a ser rojiza o amarillenta y por supuesto caliente. Este mismo calor les hace seres que en su mayoría tienen una excelente capacidad de digestión. De complexión mediana, su piel tiende a estar humectada y grasosa. Su cabello tiene esta misma característica y además puede tender a la calvicie o a tener canas prematuramente. Sus uñas son medianas y regularmente rosadas. Sus ojos de tamaño mediano pero de expresión profunda e intensa. Sus ojos se ponen rojos con facilidad. Tienen un apetito feroz, y si han de esperar para comer sus alimentos, pueden enojarse y estallar en ira.

Expresión emocional y mental

El fuego en su esencia más pura es *tejas* y la flama de la inteligencia es *agni*. Esta inteligencia se manifiesta en los *pitta*, quienes tienen esta excelente capacidad para entender todo lo que se les diga. Planean, estructuran, organizan, determinan y esperan que todos los demás tengan esta misma capacidad. En desequilibrio, pueden volverse muy impacientes con el otro, del cual quieren demandar su misma y personal capacidad. Siendo líderes naturales, esta misma desesperación puede llevarles a irrumpir en enojo, violencia, ira y juicio hacia los demás. Sin embargo, el juicio mayor puede ser hacia sí mismo, cuando algo no le ha funcionado como lo tenía planeado. Entonces puede ser su más duro juez. El *pitta* tiende al extremo. Trabaja todo el día o de plano no trabaja. Decide correr un maratón o no realizar ninguna actividad física. Opta por no tomar ni una gota de alcohol o sucumbir en el exceso y acabarse toda la botella.

El *pitta* es sumamente pasional y sexual. Le cuesta trabajo tomar tiempo para conocer a su pareja, con quien definitivamente prefiere tener un acercamiento íntimo lo más rápido que se pueda. Son dominantes y creen en el juego justo. Cuando se agravan, pueden ser crueles y arrogantes. Tienden a ser fanáticos de sus ideas y calculadores. Les encanta el lujo y el poder.

Causas de agravamiento:
1. Clima caliente y picante
2. Comida grasosa y frita
3. Comida, bebidas, especias muy calientes
4. Hacer ejercicio a medio día o a media noche
5. Competir
6. Envidia
7. Alimentos fermentados

8. Ayuno prolongado
9. Odio, enojo y envidia
10. Agresividad
11. Verano

Síntomas físicos de agravamiento:
1. Acidez
2. Erupciones en la piel
3. Diarrea
4. Ojos rojizos o amarillentos
5. Mareo
6. Infección e inflamación
7. Úlcera, gastritis, colitis
8. Acné
9. Impaciencia, perfeccionismo
10. Olor ácido
11. Mareo y desmayo
12. Fiebre
13. Anemia
14. Vómito
15. Color amarillo en la piel

Rutina para su equilibrio
"Moderación" diría el doctor Dieter le Noir. Ésta es la palabra clave para el *pitta*. Moderación en lo que come, en sus emociones y en su exigencia hacia sí mismo y hacia el otro.

El *pitta* deberá de procurarse un ambiente en donde esté fresco. La vida en una ciudad con clima fresco, la montaña, o lugares de clima frío.

La brisa del aire y las bebidas frías le ayudarán a disminuir su intensidad emocional.

Nada más recomendable para ellos que salir a tomar un paseo nocturno a la luz de la luna llena.

En cuanto a las actividades físicas, deben de tener cuidado del modo en el que realizan el ejercicio físico. El *pitta* quiere ser el mejor en lo que haga. Si le gusta correr estará obsesionado por tener el mejor tiempo; por ser el mejor en físicoculturismo; en su práctica de yoga pensará en tener la técnica perfecta para hacer la postura más complicada. En realidad, lo que el *pitta* requiere es una práctica de yoga suave, o practicar un deporte que le refresque como nadar.

Es recomendable que realicen técnicas de yoga en donde se sientan reanimados y relajados al término de su práctica.

Han de usar colores refrescantes como el verde o el azul, ya sea para vestir o para pintar sus casas o habitaciones. La sábila fresca es un alimento que pueden ingerir regularmente para erradicar el exceso de calor en el estómago y en el hígado.

La plata y la piedra de la luna en lugar del oro para adornar y equilibrar su *dosha* son recomendadas. Tratar de propiciar la calma, la tolerancia, la paciencia y la paz en sus vidas es fundamental para el *pitta*.

"Ponerse en el lugar del otro" y practicar el yoga de la devoción, generosidad y gentileza hacia el otro. Ambos son modos para que el *pitta* pueda abrir su corazón y desarrollar un verdadero estado de gozo y dicha.

Esencias como la lavanda, el sándalo, la rosa y el jazmín, le ayudarán a liberar el estrés en tiempos de crisis.

Han de practicar el vivir el momento presente y rendirse a las cosas que suceden en la vida.

Dieta sugerida

- Procurar una dieta equilibrada
- Evitar los alimentos muy calientes o muy grasosos
- Preferir la comida cruda y fría
- Evitar el café, el alcohol y el tabaco
- Incluir en la alimentación especias como menta, cúrcuma e hinojo
- Preferir los alimentos dulces, amargos y astringentes
- Evitar el picante

Si te sientes agitado, enojado, con estrés y presión, trata de respirar a través de tu fosa nasal izquierda. Encuentra un lugar privado en donde nadie te moleste y en donde puedas estar contigo mismo. Usando el dedo pulgar de la mano derecha y manteniendo el resto de los dedos juntos y apuntando hacia arriba como una antena, cierra tu fosa nasal derecha. Comienza a respirar largo y profundo únicamente a través de la fosa nasal izquierda. 26 respiraciones profundas harán el trabajo. Y cuando tengas calma podrás decidir qué hacer con cualquier situación que requiera de tu acción, porque ya no responderás emocionalmente.

Darshan Kaur

Hatha yoga para pitta. ***Consultar cuaderno de posturas***

KAPHA. El principio de estabilidad

El agua y la tierra conforman el principio que da estabilidad en el cuerpo. Éste se conoce como *kapha*. Nuestros tejidos son principalmente *kapha* o acuosos.

Kapha estabiliza. Además, controla los procesos de lubricación en el cuerpo, los tejidos y los deshechos. Su fuerza se expele a través de la mucosidad. *Kapha* no es la mucosidad pero hace que emerja. *Kapha* permite que se acumule la energía en el cuerpo y promueve la estabilidad. Sin embargo, un exceso de estabilidad puede llevar a la inercia.

Cualidades

Kapha tiene las mismas cualidades que la mucosidad. Es viscoso, lo que produce un movimiento lento. También es frío, pesado, grueso, viscoso, pegajoso, todas cualidades relacionadas con el lodo o con la tierra suspendida en agua. La pesadez es un efecto colateral de la estabilidad, que es la principal función de *kapha*. La viscosidad que puede producir el exceso de pesadez, introduce lentitud en el cuerpo y en la mente.[20]

Cualidades principales: pesado, grasoso, frío, estable, viscoso, denso y baboso.

Expresión física

Es la viscosidad la que hace que el *kapha* se mueva lentamente. Le lleva tiempo tomar sus decisiones, concretar. Le gusta dormir en una cama muy suave llena de almohadones y edredones en la cual puede quedarse dormido hasta tarde. Le fascina comer, y tiene una gran pasión por la comida frita, los postres y los lácteos.

Físicamente, es robusto y si no mantiene una dieta equilibrada, subirá fácilmente de peso. Su piel es ligeramente grasosa, suave y muy bien lubricada. Su cabello es grueso, lustroso y puede tender a ser grasoso. Sus ojos son grandes, líquidos y muy blancos, reflejan calma y estabilidad. Sus uñas son grandes, simétricas y pueden mostrar tendencia a ser pálidas. Su voz es dulce y melodiosa. La calma, estabilidad, sensualidad y fertilidad son algunas de las características que prevalecen en aquellos individuos en donde esta energía predomina.

> Ambos sexos *kapha* están bendecidos con una fertilidad abundante y un gran vigor sexual. La energía de *kapha* lo sostiene todo. Es el principio de la base, los fundamentos en los que todo lo que existe ha sido construido. Su arquetipo es la madre tierra.[21]

Expresión emocional y mental

El *kapha* tiende a ser complaciente. Predominantemente es calmado, sereno, estable; disfruta de los placeres del hogar y de la familia. Tiende a ser compasivo y maternal. Es protector y proveedor de su hogar, así como generoso.

Son padres de familia por naturaleza, cocineros, curadores, contadores y técnicos.

Son ahorrativos y pueden llegar a ser muy ricos. Acumular es otra de sus grandes pasiones y tragedias. Se manifiesta como acumulación de posesiones físicas, recuerdos, cartas de amor; pero también como acumulación de peso o de rencores o situaciones que no olvida. En exceso, pueden ser muy posesivos y avariciosos.

En cuanto a las emociones, fácilmente se deprimen y se ponen melancólicos. Tienen muy buena memoria.

Causas de agravamiento:
1. Alimentos salados, dulces y ácidos en exceso
2. Comida muy pesada como quesos, carnes, embutidos y pizza
3. Comida frita y grasosa
4. Hielos y bebidas frías
5. Dormir en exceso
6. Comer en exceso
7. Dormir de día
8. Invierno y primavera

Síntomas físicos de agravamiento:
1. Tos, congestión y resfriado
2. Indigestión crónica
3. Metabolismo lento
4. Obesidad
5. Retención de agua
6. Letargo
7. Exceso de salivación
8. Diabetes
9. Tumores

10. Colesterol alto
11. Alergias

Rutina para su equilibrio

Las palabras clave para *kapha* son el desapego y la acción.

Han de seguir una rutina estricta sobre todo durante la última parte del invierno y a principios de la primavera. Aquí es cuando más tienden a agravarse. Es durante esta temporada del año cuando fácilmente puede caer en una especie de letargo que lo lleva a no querer hacer nada. También pueden caer en estados depresivos.

Para un *kapha*, será fundamental en este tiempo del año, levantarse temprano, entre 6 y 8 de la mañana. Tomar un baño de agua fría. Hacer una rutina de ejercicio aeróbico, ya sea correr o jugar basquetbol. Practicar un tipo de yoga vigoroso como el Ashtanga Vinyasa o el Kundalini yoga. Brincar, saltar, correr, son algunas de las actividades que más beneficiarán en la salud del *kapha*.

Se beneficia vistiendo colores brillantes como el rojo, el amarillo y el gris. Ha de usar metales como el oro, o piedras preciosas como el ojo de gato y el ámbar que tienen la cualidad de ser calientes. Los aceites esenciales como el eucalipto y el romero, son sugeridos para mantenerlo activo. La respiración de fuego y la respiración *bhastrika pranayama*, le ayudarán a reactivarse en cualquier momento en que se sientan aletargados.

Dieta sugerida

- Sabor picante, amargo y astringente
- Comida tibia, ligera y seca
- Las especias picantes le ayudarán a erradicar la congestión del cuerpo
- Sobre todo en invierno y en primavera, deberá de evitar los productos lácteos, quesos derretidos y azúcares
- Le caen bien la pimienta negra, jengibre seco, mostaza, clavo y canela
- Consumir verduras crudas como la espinaca y la arúgula
- El ayuno o la monodieta (consumir un solo alimento) le funcionarán para desintoxicar el cuerpo
- Evitar las bebidas frías y los hielos

Hatha yoga para kapha. *Consultar cuaderno de posturas*

Recapitulando

Vata controla todo el movimiento en el cuerpo; *pitta* transforma y controla los procesos de digestión física y mental; y *kapha* estabiliza, además de controlar los procesos de lubricación en el cuerpo, los tejidos y los desechos.

Kapha permite que se acumule la energía en el cuerpo y promueve la estabilidad, pero un exceso de estabilidad puede llevar a la inercia. *Vata* ocasiona que la energía se libere y promueve el cambio, pero un exceso de cambio puede llevar a la sobre estimulación. *Pitta* está a cargo de equilibrar estas dos fuerzas (*vata* y *kapha*) diametralmente opuestas.[22]

Recuerda, es más importante reconocer las cualidades de tu ser que etiquetarte dentro de una sola constitución mental y física.

> Si eres *vata* perdónate por ser caótico, hiperactivo y no hacer lo que se tiene que hacer. Si eres *pitta* acepta tu impaciencia y juicio contigo y con los otros. Si eres *kapha* perdónate por tu autocomplacencia y no querer salir de ella. Tenemos la posibilidad de recrearnos momento a momento.
>
> Maya Twari, *A life of Balance.*

Agni. La digestión. Somos lo que comemos

Tienes el derecho de ser. Tú eres lo que comes y tus hábitos alimenticios no son muy buenos hábitos. Tú puedes comer ciertas cosas que te pueden debilitar y ciertas cosas que te pueden reconstruir. El problema es la digestión. A veces no tenemos jugos para digerir, pero tenemos toda la comida enfrente. A veces no tenemos la comida y sí todos los jugos digestivos. Una tercera parte del mundo duerme cada noche con hambre.

Si todo el desperdicio de alimentos de Estados Unidos fuera puesto en un plato, una tercera parte del mundo podría estar satisfecha.

Sin embargo, hay personas que comen tres veces al día y siguen hambrientas.[23]

En la infancia, tenemos la opción de comer de todo: pasando por los "chamoys", algodones de azúcar, pan dulce, chocolates, etc.

Así pasa el tiempo hasta que, fatalmente, si no hemos cuidado nuestra alimentación, nuestra capacidad digestiva disminuye. Entonces tenemos dos opciones: la primera, tomar antiácidos o pastillas para mejorar la digestión y la segunda, hacer cambios en nuestra dieta.

Al no tener el conocimiento sobre qué mejora y qué disminuye esta capacidad digestiva, es muy factible seguir con nuestros antiguos hábitos alimenticios, hasta que sin poderlo evitar, nos enfermamos.

Una de las ideas esenciales de este apartado es compartir algunas recomendaciones que nos ofrece el ayurveda para que podamos mantener un fuego digestivo sano, que seguramente se reflejará positivamente en nuestro estado de salud en general.

AGNI viene del sánscrito y significa: fuego digestivo.

A. Atención
G. Gobierna el sistema metabólico
N. Neutraliza toxinas
I.   Inteligencia suprema

Agni en sánscrito significa la fuerza que transforma. No es simplemente el fuego en su sentido elemental, sino todos los potenciales de calor, luz y electricidad. El fuego divino es el origen de la vida, la luz y el amor: los poderes del alma que nos motivan internamente.[24]

El buen funcionamiento de nuestro sistema digestivo (*agni*), es la clave para tener una buena salud, ya que nos ayuda a asimilar nutrientes, eliminar desechos y toxinas.

Cuando nuestro fuego digestivo está en equilibrio, tenemos vitalidad. Cuando está débil, deja toxinas (*ama*) que interfieren con el flujo de la sangre, linfa y energía a través del cuerpo. Cuando no nos podemos liberar de las toxinas y éstas se acumulan, puede llevarnos a ganar peso y a producir enfermedad.

Tal y como explica David Frawley, hemos de crear el fuego de la curación para estar bien y sostener una salud positiva y vitalidad en la vida. El *agni* es la base de nuestra salud.

Un fuego digestivo sano es conocido como *Sama agni* y se reconoce de la siguiente forma:
- Metabolismo equilibrado.
- Mente clara y lúcida.
- Vitalidad y salud.
- Sistema inmunológico sano.
- Consistencia de las heces fecales de la forma de un plátano y sin olor.

Los tres desequilibrios del fuego digestivo
Visama agni. Metabolismo irregular o variable.
A veces hay diarrea o estreñimiento.
Para regresar al equilibrio se sugiere:
- Preferir los alimentos calientes y las verduras cocidas.
- Evitar las verduras crudas y las leguminosas, que en general nos producirán gases.

- Preferir el aceite de linaza.
- En casos de indigestión, comer de 4 a 6 semillas de anís o de hinojo, para evitar el malestar.
- Practicar la respiración profunda.
- Tomar un vaso de agua tibia a sorbitos por las mañanas para reactivar el funcionamiento del sistema digestivo.

Tikshna agni. Metabolismo acelerado. Tendencia a padecer de diarrea.

Para regresar al equilibrio se sugiere:
- Evitar los alimentos de cualidad caliente, como los picantes, irritantes, cigarro, alcohol, chocolate.
- Preferir las verduras crudas y en especial el pepino, el apio y la lechuga.
- Tomar agua de coco o de rosas.
- Para desayunar es recomendable el plátano y la avena cocida.
- En casos de acidez o gastritis, practica la respiración *Sitlali Pranayama*. (Inhala a través de la lengua "hecha taquito", y exhala a través de la nariz. Repite suavemente de 5 a 10 rondas de está respiración).

Manda agni. Metabolismo lento. Dificultad para digerir los alimentos y fácilmente se acumula peso.

Para regresar al equilibrio se sugiere:
• Preferir los alimentos calientes y picantes.
• Comer verduras crudas como la arúgula y el rábano.
• Evitar los productos lácteos, la cajeta y los quesos derretidos.
• Evitar los hielos y preferir el té de cualidad caliente como el de jengibre o el de canela.
• Procurar levantarse temprano y ejercitarse con una actividad aeróbica.
• Practicar la respiración de fuego.

Cómo mantener la salud de nuestro fuego digestivo

El simple acto de cocinar con atención es vital para la invocación de nuestra memoria cognitiva: todo comienza con una semilla, una semilla que recuerda su esencia, el ADN, la memoria de todo los tiempos; una semilla que no ha sido genéticamente manipulada; una semilla desde la cual una planta es sana y felizmente germina. Esta planta que es preparada en nuestros alimentos y cuyos residuos regresan a la tierra después de que el cuerpo ha sido nutrido. Eventualmente el cuerpo agota su número de respiraciones, completa su ciclo y naturalmente regresa a la tierra.

Cuando aprendemos a crecer, a preparar y a cocinar nuestros propios alimentos, para sostener la memoria cognitiva y para brillar en salud, somos capaces de vivir en armonía.

La naturaleza de los alimentos

Desafortunadamente, en estos días los alimentos que consumimos no son tan frescos como solían ser hace muchos años. Hace tiempo, aún se sembraban con las manos las semillas de los alimentos que posteriormente comeríamos. Esos alimentos se nutrían de la luz del sol y de los minerales que les proporcionaba la tierra. Hace tiempo, aún consumíamos la leche fresca que venía de la vaca.

La situación es distinta hoy en día. Actualmente, las grandes trasnacionales, preocupadas por producir alimentos que sean más económicos, hacen casi cualquier cosa para vender productos y comida rápida que carecen de energía vital. Estos productos y comida, son ricos en conservadores, químicos y fertilizantes que tienen un efecto nocivo para nuestra salud.

Las grasas saturadas que no pueden metabolizarse en nuestro organismo, son las que al final, hacen que nuestros niveles de colesterol sean altos y que a la larga desarrollemos enfermedades como presión arterial alta, obesidad y diabetes, entre otras.

Además de elegir los alimentos frescos, busca que las verduras sean de preferencia orgánicas. Procura que tu consumo de grasas sea digerible por tu organismo. Escoge el aceite de olivo prensado en frío, la grasa que proviene de las nueces y del aguacate. Si has de consumir mantequilla, aprende a cocinar la mantequilla clarificada (*ghee*), la cual una vez preparada, es muy nutritiva y carece de las grasas saturadas.

Ver Anexo 5. Receta para preparar ghee

Elijamos comer alimentos con energía vital y frescos, que recientemente hayan estado cerca del sol para que nutran el cuerpo y la mente como las verduras, hortalizas, arroz y frijoles.

Al comer, nuestra meta es absorber el *prana*, la fuerza de la vida, para que nuestros alimentos vitalicen el cuerpo y no nos convirtamos en seres pesados y sedentarios.

LOS ALIMENTOS QUE CARECEN DE ENERGÍA VITAL SON:

1. Alimentos muy pesados, grasosos, procesados y que producen mucho peso.

2. El azúcar y la harina refinada que han perdido sus nutrientes y a la larga nos ocasionan fatiga.

3. Los alimentos que han sido cocinados en el microondas o la comida congelada.

4. Los alimentos enlatados o empaquetados que carecen de energía vital y que contienen alta cantidad de conservadores.

6. Los alimentos producidos en laboratorio. Éstos quizás no han recibido la luz del sol, ni los minerales de la tierra, tampoco el oxígeno y están muy lejos de los ritmos naturales.

La intención al cocinar

Mis amigos y yo solíamos reunirnos en el mismo restaurante italiano cada dos meses. El lugar se caracterizaba por tener una comida fresca y deliciosa. La última vez que fuimos, para el momento en el que nos servían el postre, todos nos sentíamos indigestos y nos cuestionábamos qué era lo que andaba mal.

Estábamos en esa conversación, cuando abruptamente salió el chef de la cocina gritándole al capitán quién sabe cuánta cosa en italiano y aventando su sombrero blanco.

Ahora he comprendido que la comida riquísima de ese lugar, aquel día nos "cayó mal". La razón es que la energía del chef no era la adecuada. También comprendí por qué la comida casera o cocinada por algún ser querido es mucho más rica que la de cualquier restaurante por muy elegante que sea. El amor con que la comida es cocinada, se transmite directamente en los alimentos y en todos nuestros sentidos. Es esa energía la que nos ayuda a mantener un fuego digestivo sano.

Como bien describe Maya Tiwari, "el amor y la gentileza son los dos más importantes ingredientes en cualquier comida. Sin estos elementos, la energía vital disminuye."

En cualquier circunstancia en la que nos encontremos al cocinar, no debemos proyectar jamás nuestras emociones negativas. Si tienes una emoción negativa, sal de la cocina. Ve a otro cuarto, grita, pégale a la pared, permite que las emociones se disuelvan y regresa con delicadeza a cocinar tus alimentos.

"Somos lo que comemos", es un dicho común que quizás ya has escuchado, pero lo interesante, es que no sólo somos lo que comemos sino como dice Usha Lad, "somos lo que digerimos y la digestión inicia desde el momento en el que vamos a comprar nuestros alimentos."

El ritual de comer

• Muchas veces, como tantas cosas que hacemos, comemos mecánicamente, sólo porque ha llegado el tiempo. En ocasiones, ni siquiera tenemos hambre. Vale la pena preguntarnos antes de comer si sentimos hambre. De lo contrario, puede ser que nuestro sistema este terminando de digerir los alimentos consumidos anteriormente.

• Antes de comer, respira profundamente y agradece tus alimentos. Nos hemos olvidado de agradecer a la naturaleza que nos da de comer, a la vaca que nos da la leche. No vemos el sol que nutrió el trigo del cereal de la caja y nos olvidamos del árbol que dio la manzana.

• Para agradecer tus alimentos puedes hacer una oración, o como sugiere el Dr. Vasant Lad, cantar tres veces el siguiente *mantra* para que las cualidades de los alimentos que vamos a comer se manifiesten:

Achyuta Ananta Govinda
Achyuta Ananta Govinda
Achyuta Ananta Govinda [25]

• Come tus alimentos en un ambiente limpio y tranquilo. De preferencia silencioso y en la compañía de tus seres queridos.

• Evita comer y al mismo tiempo ver televisión, trabajar en la computadora o hablar por el celular. Haz de tus comidas un momento sagrado.

• Huele tus alimentos para que empiece a activarse tu sistema digestivo. Mastica por lo menos 30 veces tus alimentos y no comas ni muy rápido ni muy lento.

• La cantidad de comida que nuestro organismo requiere, es la que nos cabría si juntáramos nuestras dos manos. Trata de dejar vacía la tercera parte del estómago.

• Al comer, no tomes agua fría. Nuestro organismo tiene una temperatura cálida por dentro y tomar bebidas frías, solamente retrasará el proceso digestivo. Bebe pequeños sorbos de agua tibia con un poco de limón.

• Trata que tu comida principal sea al mediodía, que es cuando la capacidad digestiva es mayor.

• Procura no comer entre comidas. El sistema digestivo toma de 3 a 6 horas para digerir los alimentos. Dale tiempo a tu organismo.

Al terminar de comer

La sobremesa es importante. No te pares abruptamente de la mesa y corras a seguir con tus actividades. Reposa tu comida por lo menos diez minutos.

Camina por lo menos 100 pasos después de comer.

Después de comer, si te es posible, recuéstate sobre tu lado izquierdo, para respirar predominantemente a través de la fosa nasal derecha y así propiciar una mayor digestión.

No comas nada 3 horas después de haber consumido tus alimentos. Éste es el tiempo aproximado que requiere tu organismo para digerir los alimentos. De otro modo, pondrás a trabajar al sistema digestivo a marchas forzadas.

Hábitos alimenticios incorrectos

- Comer en exceso.
- Comer entre comidas.
- Tomar agua fría con los alimentos.
- Comer muy tarde.
- Comer sin hambre.
- Comer cuando estás enojado, muy triste o muy emocional.

Sencilla técnica para estimular el fuego digestivo

Come una rebanada de jengibre con un poco de limón y sal de 15 a 20 minutos antes de comer para mejorar el funcionamiento de tu sistema digestivo. Evita esta receta si padeces de gastritis, acidez o úlcera. Tampoco es recomendada en caso de embarazo.

Ver Anexo 6.
Receta para desintoxicar el organismo. Preparación de kitcheri

Abusar del cuerpo al consumir cantidades excesivas de alimentos que además suelen ser muy condimentados o muy variados, hace trabajar a nuestro sistema digestivo a marchas forzadas y eventualmente lo intoxica.

Cuando empezamos a ser más concientes de nuestro cuerpo y nos damos cuenta de la cantidad de alimento innecesario que consumimos, es conveniente hacer una monodieta. Es muy eficiente hacerla entre el cambio de una estación a otra, después de las fiestas navideñas en donde quizás nos excedimos o simplemente cuando sentimos que nuestro sistema se siente indigesto o muy pesado. Este es el momento de detenernos y darle a nuestro cuerpo lo que realmente necesita. Empieza por disminuir la cantidad de alimentos que normalmente consumes y después de 4 o 5 días, puedes hacer la monodieta de *kitcheri*. Únicamente consumirás hasta 5 veces al día la receta que te comparto en el anexo y puedes tomar té de jengibre y miel o té de semilla de comino, cilantro e hinojo. Para romper la monodieta, agrega por dos o tres días, verduras al *kitcheri* y poco a poco sal de esa rutina, tratando, en la medida de lo posible, de mantener una dieta sencilla y sana.

Nuestros alimentos, nuestra comida y la naturaleza, son una sola identidad. Nuestros fluidos son los mismos que los de la leche del coco. El corazón de la alcachofa es el mismo que nuestro corazón. El frijol es igual que nuestros riñones. Las hojas de un árbol son igual que nuestros pulmones. Sin embargo, nos percibimos diferentes de los árboles y las plantas, de los animales y de los pájaros y de los organismos unicelulares. Los vemos como afuera de nosotros. De la misma manera, percibimos los alimentos como separados. En realidad, nuestra percepción existe con la misma luz de la conciencia que existen los alimentos, los animales y los principios del cosmos. Los alimentos nos sostienen y se merecen una gran reverencia.[26]

Ver Anexo 7. Tabla para tener una digestión excelente

Estilo de vida

"Suena el reloj despertador. Salgo de la cama. Abro la llave del agua. Sin darme cuenta me lavo los dientes, los mismos movimientos que hago tres veces al día. Me baño lo más rápido posible. Salgo de la regadera. Me unto crema. Me visto con lo primero que encuentro en el clóset. Me subo al coche. Le hago el mismo gesto de despedida al velador de mi edificio al que ni siquiera me detengo a ver. Dime cómo manejas y te diré cómo eres. Manejo velozmente y quiero que todos vayan a mi ritmo. Manejo y me maquillo al detenerme en los semáforos. Escucho las noticias, casi todas malas. En el segundo en el que se pone el 'siga', ya le estoy tocando el claxon al coche de adelante. '¡Avánzale, lento!' Termino de maquillarme. Pasan las noticias una tras otra, una tras otra, deprimiéndome cada vez más. El periférico a vuelta de rueda. Desayuno en el coche. Barra de granola. Yogurt líquido. Llego dos minutos tarde a la oficina, totalmente neurótica."

Mark Oberlies, señala: "Nuestros estilos de vida frenéticos, tratando de ajustar 27 horas en 24, resultan en ansiedad que afecta nuestras relaciones y nos hace menos sanos. Sólo con hacer cambios moderados en nuestros estilos de vida, como descansar, hacer ejercicio y comer mejor, la situación puede ser mejorada."[27]

La vida se ha acelerado y la comunicación también. Nuestro medio es caótico.

¿Sabías que más del 70% de las enfermedades provienen de nuestro estilo de vida? El estrés está directamente relacionado con nuestra salud y bienestar. El estilo de vida es un tema de muchísima importancia. Sobre todo cuando vivimos de forma tan abrupta, mecánica y acelerada.

El ritmo de cómo llevamos nuestra vida en el día a día, es fundamental no sólo para tener una vida saludable, sino para tener una vida feliz.

Rutina diaria

Hacer una transformación en tu estilo de vida puede ser sencillo. Esto, siempre y cuando estés dispuesto a despertarte de 30 a 45 minutos antes de lo que acostumbras. Quizás pienses que vas a perder ese tiempo de sueño. Es cierto, pero también es verdad que al hacer ese esfuerzo, que cada vez te costará menos, permitirás que tu sistema nervioso funcione de una forma menos tensa y que tengas más energía. Haz la prueba. Antes de dormirte, pon tu reloj despertador cuarenta y cinco minutos antes de la hora que regularmente lo pondrías.

1. Al despertar

El modo en cómo te despiertas es crucial para anticipar cómo será tu día. Toma tiempo para levantarte de la cama. Una vez que suene el despertador, ponlo en la función de *snooze* y relájate. Quédate ahí y ponte un momento sobre el estómago. Deja que todo el peso del cuerpo caiga sobre tu cama y encuentra una postura cómoda boca abajo.

Quédate ahí unos momentos y luego ve sobre un costado y luego sobre el otro. Date tiempo de sentir la pulsación de la respiración en todo tu cuerpo. Cuando suene por segunda vez tu alarma, apágala. Ponte sobre tu espalda. Frota las palmas de tus manos vigorosamente para que estimules todo tu organismo. Cubre con tus manos la cara. Recibe el calorcito que emana de tus manos. Contacta con tu ser.

Después de unas cuantas respiraciones, separa lentamente las manos de tu cara y míralas, como dice Vasant Lad, trabaja con ellas, de vez en cuando dales un beso en el centro, que es el centro del corazón y de la sabiduría. Observa tu respiración.

2. Agradecimiento

En una entrevista a Lama Tenzin Wangyal Rinpoche, líder del bon budismo, una de las técnicas más antiguas del budismo en el Tibet, platicó sobre el equilibrio y dijo:

Siempre que te vayas a dormir o a levantarte piensa en diez o veinte razones por las que deberías de estar feliz. Observa cuáles son los regalos que tienes en la vida. Qué es eso que tienes que la gente de verdad le gustaría tener y que tú ya tienes. Aprecia lo que sí tienes. Cada mañana cuando te levantes, sé agradecido por todo lo que te ha sido dado. Aprecia todo lo que te han dado. Reconoce lo que está ahí. Algunas personas necesitan más de diez razones. Busca esas buenas razones por las cuales estar feliz en la vida y las encontrarás. Normalmente lo que hacemos es lo contrario. No buscamos esas buenas razones, pero buscamos las malas razones. Si vemos

nuestros hábitos, muchas personas se levantan en la mañana no queriendo hacer, pero teniendo que hacer. Extrañando,
pensando que algo hace falta, que no están completos. Y ponemos mucha atención en esas zonas de la vida.[28]

Estas palabras te invitan a cultivar una actitud de agradecimiento por la mañana. Tómate unos momentos antes
de levantarte de la cama para agradecer tu salud, lo que sí
tienes el día de hoy.

3. Limpieza de lengua y reconocimiento diario
La lengua

En este proceso de autoconocimiento, la lengua es fundamental. Para tener aliento fresco y liberar del cuerpo las
toxinas (*ama*) acumuladas del día anterior. El ayurveda sugiere que antes de lavarte los dientes utilices un "rascalen-
guas" o una cuchara para limpiar tu lengua. Llévala lo más
cerca posible de la garganta y rasca suavemente. Haz garga-
rismos para limpiar por completo tu cavidad bucal y seguir
activando tu sistema digestivo. Limpiar la lengua te da una
sensación de frescura. Éste es el mejor preventivo para el
mal aliento: protege los dientes de bacterias y hace que la
comida sepa mucho mejor.

Ama significa toxinas. Es la causa raíz de la enfermedad. Responsable
de que no absorbamos nuestros alimentos ni los eliminemos. Es una
sustancia pesada, pegajosa y de mal olor. Acumulamos toxinas en el
cuerpo cuando no procesamos los alimentos, cuando nuestro fuego
digestivo es bajo y cuando comemos muchos lácteos, sobre todo queso
derretido y crema.

La orina

La primera orina de la mañana es fundamental para reconocer tu estado de salud. Si tu orina es muy olorosa o muy amarilla, quiere decir que te hace falta tomar agua y liberar toxinas.

Las heces

La materia fecal habla mucho sobre nuestro estado de salud. Idealmente debería de ser compacta y consistente, tener la forma de un plátano, flotar sobre el agua y debería de producirse al despertarte.

Si el excremento está en forma de "pequeñas bolitas" o tiendes al estreñimiento, quiere decir que los intestinos están secos. Si este es el caso, te recomiendo que tomes un vasito "tequilero" de aceite de oliva con un limón exprimido por un par de días. Esto te será de gran ayuda.

Si el excremento se hunde en el excusado quiere decir que el cuerpo está muy intoxicado y que es buen momento de hacer una monodieta de arroz y verduras para limpiar tu organismo.

4. Beber agua tibia a sorbitos

Ahora ha llegado el momento de empezar a hacer la limpieza de tu cuerpo interno. Para tener un sistema digestivo sano, es recomendable tomar agua tibia en ayunas. Bebe una o dos tazas de agua tibia. Es muy importante que lo hagas despacio, a sorbitos. Si padeces de estreñimiento, ésta es una de las mejores recetas para combatirlo y en general todo tu organismo te lo agradecerá.

5. *Abhyanga*. Hidratar tu piel

Quizás esta parte de tu rutina no la hagas todos los días, pero sí un día a la semana que tengas más tiempo o durante el fin de semana. Calienta un poco de aceite de pepita de uva o de ajonjolí y ponlo en baño maría hasta que esté tibio. Aplica el aceite dando masaje en toda tu piel hasta que el aceite se absorba por completo. Recuerda que nuestra piel tiene una gran capacidad de absorción. De ésta manera, cada sustancia, natural o sintética, es absorbida por tu piel.

Estos aceites naturales además son excelentes para nutrir la piel y mantenernos en calma. Quizás esta parte de la rutina la puedas hacer para descansar antes de dormirte o cuando te sientas muy agotado. Es una excelente terapia antiestrés que además ayuda en casos de insomnio, ansiedad y "acelere".

6. Tomar un baño con atención y conciencia

Tengo muchos recuerdos de bañarme mecánicamente: "ahora el shampoo, luego el acondicionador y mientras surte efecto, a enjabonar el cuerpo". El agua tiene capacidad de limpiar y llevarse eso que ya no queremos, ese mal momento del día de ayer. Además, escuchar el sonido del agua es una delicia para hacer una especie de meditación activa.

Escucha el agua caer y limpiarte por completo. Disfrútalo. Después de bañarte, puedes aplicarte unas gotas de aceite de bergamota o de eucalipto para sentirte lleno de energía.

7. Tomar tiempo para sentarte en silencio y meditar

Al terminar tu baño, es importante que te regales un momento para meditar. Este paso te va a tomar cinco minutos y conforme vayas adquiriendo práctica, tú solo te inspirarás para meditar por más tiempo. Aquí lo importante es empezar a desarrollar una disciplina y que no sacrifiques tus cinco minutos de meditación diaria. Una vez vestido, siéntate sobre una silla o con las piernas cruzadas y la espalda recta. Cierra los ojos. Observa el proceso respiratorio natural. Nada que hacer. Nada que pensar. Cuando se presente el pensamiento, no lo fortalezcas. Obsérvalo y déjalo pasar como si fuera una nube en el cielo. Ve pasar tus pensamientos como nubes en el cielo. Regresa a tu respiración y decreta una intención clara de cómo deseas que sea tu día.

8. El desayuno

El tema de la alimentación es vastísimo. Por favor revisa la sección sobre la digestión. Esto es con el fin de que trates de implementar la misma rutina del ritual de comer a la hora de desayunar.

9. Al subir al coche

Ten la intención clara de no querer tomar el control.

Ir manejando en una ciudad donde hay mucho tráfico vehicular es gran un tema. Conducir tranquilo dentro de ese caos es un gran reto. Al principio, puede ser que te cueste trabajo "bajarle al ritmo" mientras manejas. Pero no te desesperes, poco a poco lo lograrás.

• Cuando te subas al coche, cierra tus ojos. Realiza una visualización de ti, de los pasajeros que te acompañen, si es así, y de tu coche. Inclúyelos a todos en una luz color violeta. Piensa en cosas positivas.

• Luego siéntate cómodamente en tu coche. Relaja los hombros y las caderas y ten la intención clara de fluir con el tráfico, con el fluir natural de los coches. No te enojes, ni te pelees. Por apresurarte y querer pasarte la preventiva, o cerrártele a los coches, sólo vas a ganar como máximo cinco minutos de tu tiempo. Cuando el semáforo esté en rojo, ten conciencia de tu cuerpo y aprovecha para ver si estás apretando la mandíbula o la zona de las caderas, o quizás las piernas. Relájate y nuevamente haz contacto con tu respiración. Fluye al ritmo del que va delante de ti. De cualquier manera, es un tiempo que no te puedes ahorrar y lo puedes ocupar, por ejemplo, en observar el flujo de tu respiración.

10. Durante el día

• Bebe mucha agua, por lo menos un litro de agua natural. Si no te gusta el sabor del agua natural, agrégale dos gotas de clorofila o una rebanada de naranja o toronja.

• Si te es posible evita las harinas y azúcares refinadas, que a la larga sólo te ocasionarán fatiga.

• Conforme pasa el día, no te tomes las cosas tan en serio. Haz lo que tienes que hacer de la mejor forma que te sea posible y con tu mejor intención. Eso es hacer tu parte, y disfruta de la bendición de estar vivo y sano un día más.

• Trata de realizar tus actividades con amor y con una actitud de servicio.

• Procura sonreír.

Rutina por estaciones

Quizás te haya pasado que hay algunas épocas del año en las que te sientes mejor que en otras, algunas en las que tiendes a enfermarte, como en el cambio de una estación a otra. De acuerdo con el ayurveda, puedes encontrar tu equilibrio y una buena salud si te armonizas con los ritmos de la naturaleza.

La ley de oro de la que hablaban los antiguos sabios, es "similar aumenta similar, todo se cura por fuerzas contrarias". De tal modo que a través de la auto observación de los hábitos alimenticios y de la rutina diaria, se pueden reconocer las características de las diferentes épocas del año y cómo adquirir estilos de vida para mantener un estado de salud óptimo.

Aquí te comparto algunas consideraciones para cada temporada.

Temporada de otoño-invierno

El clima tiene las cualidades de ser seco, frío y ligero, por lo que se tienden a agravar estas cualidades en nuestro organismo. Es una temporada en donde la piel fácilmente se reseca y puede surgir el agotamiento físico y mental. En esta temporada es recomendable mantenerse siempre caliente y abrigado.

Cómo eliminar toxinas

En estás temporadas existe la tendencia a padecer de afecciones respiratorias tales como gripa, congestión, alergias, tos o resfriados. Para prevenir estos síntomas:

1. Ya que es muy factible la acumulación de toxinas en el cuerpo durante esta temporada, bebe un poco de agua tibia en ayunas. Procede a lavar tus dientes y a limpiar tu lengua con un raspa lenguas. Si no tienes raspa lenguas, usa una cuchara y limpia la lengua desde su base de 3 a 4 veces con suavidad y gentileza. Además de limpiar las toxinas propiciarás tener un buen aliento.

2. Evita los productos lácteos, la cajeta, el queso derretido, las azúcares, las harinas refinadas y el yogurt.

3. Prefiere alimentos calientes y picantes. Se sugieren sopas calientes y tomar té de jengibre con un poco de miel y limón.

4. Minimiza el consumo de alimentos crudos.

5. Consume alimentos nutritivos y cocidos.

6. Deben predominar los sabores dulce, salado y agrio, y los alimentos deben ser calientes y tibios.

Alimentación general
Dieta general

Verduras: espárrago, ajo cocido, zanahoria cocida.

Especias: comino, hinojo, jengibre fresco.

Granos: arroz, avena cocida, trigo.

Frutas: manzanas, plátano, papaya, aguacate.

Aceites: ajonjolí y almendra.

Nueces: todas las nueces y semillas son recomendables.

Carnes: pollo, pavo, camarones, pescado.

Lácteos: helado, quesos frescos y añejados, leche entera.

Posturas

Practica posturas que remuevan la congestión de los órganos respiratorios superiores. Se recomienda practicar los saludos al sol, la postura del león, la postura del barco, el arco, el parado de hombros y el parado de cabeza.

Respiración

Practica la respiración *bhastrika* o respiración de fuego. Sentado con las piernas cruzadas toma una exhalación profunda y luego permite que llegue la siguiente inhalación. Continúa bombeando desde el ombligo. Al exhalar el ombligo va hacia la columna vertebral y al inhalar se expande como un globo. Repite 30 veces y descansa.

Cómo estar (meditación)

El otoño y en el invierno son el tiempo de la pasividad. No estés apurado. Practica la meditación pasiva por cinco minutos y luego masajea tu cuerpo con aceite de almendras dulces o con aceite de ajonjolí. Después toma un baño de agua caliente.

Cómo vestirse

Viste de colores brillantes como el rojo y el naranja para mantener el fuego digestivo activo y no te olvides de usar una bufanda para proteger el cuello. Prefiere siempre las telas hechas de fibras naturales como la lana, el algodón o el lino.

En qué compañía estar

Este es el momento de estar acompañado. Busca el apoyo y compañía de tus seres queridos y prefiere el contacto humano, para evitar posibles depresiones.

Uso de aromas

Eucalipto, ylang-ylang, canela y ámbar son los aromas que te permitirán sentir calidez y confort.

Piedras y metales

Ámbar, oro, topacio, rubí y granate.

Temporada de invierno-primavera

El final del invierno y el inicio de la primavera tienen la cualidad de ser estaciones frías, húmedas y pesadas. En esta temporada es cuando más fácilmente prevalecen afecciones respiratorias como la tos, la congestión o la gripa.

La palabra clave de esta temporada es: estimulación

Cómo eliminar toxinas

En esta temporada se sugiere evitar los alimentos pesados como las harinas y las grasas, los alimentos agrios, grasosos, dulces y productos lácteos tales como el yogurt, la leche entera y la cajeta. Los productos lácteos producen ✳ mucosidad.

La dieta debe consistir en alimentos tibios o calientes, ligeros y secos. Deben de predominar los sabores amargo, astringente y picante.

Alimentación General

Verduras: arúgula, ajo, rábanos, apio.
Especies: pimienta negra, jengibre, clavo.
Granos: todas las leguminosas a excepción del queso de soya.
Frutas: manzanas, peras, granadas, arándano.
Aceites: almendra, maíz, girasol, cártamo.
Nueces: semilla de calabaza y semilla de girasol.
Carnes: pollo, pavo, camarones.
Lácteos: leche descremada, huevo.

Posturas

Es recomendable practicar posturas de yoga fuertes como salutaciones al sol fluidas y posturas de pie, parados de cabeza e inversiones.

Respiración

Se sugiere practicar respiración de fuego o *bhastrika pranayama*.

Cómo estar

Para mantener el equilibrio durante esta temporada es recomendable despertarse temprano, de preferencia antes de las 6:00 a.m. Evita tomar siestas durante el día y procura tener una rutina diaria activa que incluya el ejercicio y la actividad.

Cómo vestirse

Se recomienda usar ropaje de lana y algodón de colores brillantes como el rojo, el amarillo y el fuscia. Usar en moderación los colores grises, blancos o negros.

En qué compañía estar

Es recomendable acompañarse de personas activas y alegres para evitar entrar en estados pesimistas o depresivos.

Uso de aromas

Aromas estimulantes como la canela, el clavo, el eucalipto y el pino.

Piedras y metales

Granate, ojo de gato, amatista y oro.

Temporada de primavera-verano

Con el clima caluroso, los temperamentos cambian y la gente se siente más agitada y agresiva que regularmente. Físicamente pueden surgir condiciones inflamatorias tales como gastritis, colitis, acidez, úlceras o migrañas.

La palabra clave de esta temporada es: moderación

Cómo eliminar toxinas

En esta época el ayurveda sugiere que se ingieran alimentos de sabor amargo, dulce y astringente. Los granos, la fruta y las verduras crudas son excelentes porque refrescan el sistema.

Es conveniente evitar los sabores salados, amargos o ácidos y picantes, así como alimentos calientes.

En cuanto a la alimentación hay que preferir los alimentos frescos y las verduras crudas y bien desinfectadas.

En este tiempo el exceso de calor se acumula y hay tendencia a la deshidratación. Uno debe de ajustar su estilo de vida y alimentación dependiendo del clima de cada día. En general se sugiere evitar las bebidas frías, las siestas durante el día y el exceso de ejercicio. En los días fríos y de lluvia, se sugiere ingerir alimentos salados, agrios y grasosos. Comer trigo, arroz, sopas calientes, té de jengibre y darse masaje con aceite tibio.

Alimentación

Verduras: brócoli, pepinos, lechuga.
Especies: cilantro, menta, comino, hinojo.
Granos: garbanzos, queso y frijol de soya.
Frutas: manzanas, coco, mangos, granada.
Aceites: coco, oliva, soya.
Nueces: semilla de calabaza y semilla de girasol.
Carnes: pollo, pavo, camarones.
Lácteos: mantequilla clarificada (*ghee*), helado, leche quesos blancos.

Bebidas: leche de almendra, jugo de manzana, té de manzanilla, hinojo y menta.

Posturas
Practicar posturas hacia delante, parado de hombros y el saludo a la luna.

Respiración
Practicar la respiración *sitali pranayama*.

Cómo estar
El clima durante esta temporada tiene la cualidad de ser muy caliente, húmedo y ligero. Es en esta temporada cuando más se acumula el calor, procura dormir en un cuarto ventilado y fresco.

Realiza ejercicio y toma el sol antes de las 10 a.m. o después de las 16:00 hrs.

Es importante cuidar la hidratación de la piel y tomar por lo menos dos litros de agua diarios y usar un buen protector solar.

Es recomendable pasar ratos al aire libre, especialmente en donde fluye el agua.

En esta temporada es de suma importancia evitar el alcohol y los alimentos picantes, que sólo generarán mayor calor en el organismo y pueden producir migraña o inflamaciones y estados de enojo, ira o violencia ya que se puede caer en los extremos.

Cómo vestirse

Usar colores como el verde, azul y blanco. Evitar los colores brillantes y el negro.

En qué compañía estar

Acompañarse de gente tranquila y calmada.

Uso de aromas

Los aromas refrescantes adecuados para el tiempo de calor son la lavanda, el sándalo, la gardenia, el jazmín, la rosa, violeta y menta.

Piedras y metales

Las piedras preciosas adecuadas en esta temporada son la perla, el cuarzo blanco, la amatista, el jade y la plata.

La meditación

Una vez un devoto quería liberarse y se dedicaba a rezar y a hacer distintas prácticas de meditación. Pasaba la mayor parte de su día practicando posturas de yoga y todo tipo de técnicas con el fin de iluminarse.

En cambio, había otro devoto que sólo ofrendaba flores sin pensar en la liberación, ni en la iluminación.

Así pasaron los días y los años. El segundo devoto se liberó.

Un día los dos devotos se encontraron. El primero preguntó que cómo le había hecho. El segundo contestó que nunca había buscado la liberación, sólo había ofrendado sus flores con amor.

La meditación no es poner la mente en blanco. Meditar no es algo que queremos alcanzar o que tenemos que practicar en un lugar silencioso en medio de la naturaleza o a lado de un río.

La meditación es un estado de presencia y atención, aunque la practicamos al sentarnos, al cerrar los ojos, al detenernos al contemplar y al observar cómo poco a poco la mente se aquieta. Idealmente la deberíamos de practicar en nuestra vida diaria.

Esto lo hacemos cuando estamos atentos y presentes en las actividades que hacemos. Al percibir el olor y el sabor de una cucharada de miel de abeja; al voltear y ver a nuestro vecino mientras manejamos en medio del caos de la ciudad; al hacer una pausa y sentir cualquier emoción que se manifieste. Todo esto, sin huir del dolor o del gozo. Sintiendo, observando, estando, regresando al centro y dejando ir.

Meditar es estar atentos a nuestras emociones antes de gritarle a alguien o caer en un estado de pánico.

BENEFICIOS DE LA MEDITACIÓN

- Regula la presión arterial.
- Equilibra las cargas eléctricas del cerebro.
- Relaja y disminuye el proceso mental.
- Desarrolla la capacidad de atención y concentración.
- Ayuda a sentir emociones sin dramatizarlas y sin reprimirlas.
- Brinda flexibilidad ante las circunstancias de la vida.
- Proporciona claridad y energía.

La meditación es una de las herramientas más poderosas para mantener una salud integral cuerpo-mente.

En la práctica de la meditación, exploramos los modos en los que nos relacionamos con nuestras propias experiencias y lo que nos motiva al cambio. Nuestros esfuerzos durante la meditación están dirigidos a abrirnos, a conocer lo que sentimos, a permanecer despiertos al sufrimiento y a la alegría. Esta es la meditación como un modo de vida, un camino para recapturar nuestras vidas, y así poder regocijarnos en la integridad, alegría y paz que provienen de entender qué somos. [29]

Tipos de meditación

Existen muchas técnicas de meditación. Unas muy antiguas que provienen de las raíces orientales que van desde el bon budismo, el budismo tibetano, las tradiciones de meditación zen y vipassana, pasando por las meditaciones de la tradición del Kundalini yoga, hasta las más contemporáneas como la meditación trascendental.

Cualquiera de estas tradiciones te proporcionarán herramientas para aprender a meditar. Algunas se practican en silencio, otras utilizan la recitación de *mantras*[30] (sonidos que al repetirse tienen efectos a nivel glandular) o *mudras* [31] (posturas que se hacen con las manos y crean un determinado efecto en las terminaciones nerviosas). Es importante experimentar y elegir un camino tradicional, en el que te sientas más a gusto, para que no se confunda tu mente.

> Una mente en meditación es silenciosa. Este silencio no puede concebirse con el pensamiento. No es el silencio de una noche callada. Es el silencio que nace cuando el pensamiento, con todas sus imágenes, palabras y percepciones, ha cesado por completo. La mente en meditación actúa sólo a partir de este silencio.
>
> J. Krishnamurti

La mente meditativa en la vida diaria

Es de mañana en sábado. Me despierto y salgo por las calles de la ciudad. Caen las hojas de un otoño prematuro. El clima está fresco. A lo lejos escucho un silbido. Luego la escoba en movimiento en contacto con el pavimento y el hombre vestido con su traje naranja barriendo. Cruzamos miradas. Me detengo. Observo el brillo de sus ojos. El brillo de su ser. Si tan sólo pudiéramos reconocer a Dios en todas las personas que vemos, en cada ser con el que nos cruzamos. Existe la opción de meditar tres horas por la mañana y estar el resto del día sin ni siquiera sentir la brisa fresca del viento. La disciplina y la constancia son importantes de cultivar. Sin embargo, más relevante es el descubrir la dicha del momento presente . Los regalos que nos da la vida en cada instante. Ver lo hermosa que es nuestra vida tal como es.

En cierta ocasión cuando entrevisté a Lama Tenzin me comentó que muchas veces mentalmente tenemos la idea de una persona famosa. Esa persona famosa que quisiéramos ser. La que nos parece que tiene todo lo que no tenemos. Y dijo, si nos acercamos a la vida de esa persona famosa, veríamos que no necesariamente es tan feliz o tan perfecta como pensamos.

La humildad está en sentir la divinidad en cada momento. La arrogancia se va cuando reconocemos que lo divino está en ti en este momento. Está en mí y en nosotros en este momento. Somos una manifestación de esa divinidad.

En este camino y en este descubrir, debemos creer que al realizar una práctica espiritual, somos mejores que los otros. Todos y cada uno de nosotros estamos haciendo lo mejor que podemos desde el espacio en el que nos encontramos. Como dice Bonnie Bainbridge, "hay que empezar desde el lugar en donde estamos el día de hoy".

La meta es que podamos realmente cuidarnos mutuamente. Reconocer que estamos conectados los unos con los otros. Vernos en el otro, reconocer el espacio divino que habita en nosotros. No hay que hacer nada, ni buscar tal o cual estado. Sólo tenemos que detenernos un instante y observar la sensación del instante presente. Abrir el espacio sagrado en donde todo puede ser o no manifestado.

Es muy importantes estar conscientes de este espacio.

Cómo meditar

• Busca un lugar, de preferencia silencioso, al que llegues específicamente con el propósito de meditar.

• Siéntate con las piernas cruzadas o sobre una silla. Tu espalda deberá de estar recta.

• Cierra tus ojos y comienza a relajar todo tu cuerpo. Empieza por los músculos faciales, en especial los de la mandíbula. Observa todo tu cuerpo y todas las sensaciones.

• Observa la sensación del aire que toca los orificios nasales. Reconoce si la sensación es fría o caliente. Si se transforma con la inhalación y con la exhalación.

• Percibe los sonidos cualesquiera que éstos sean. No los juzgues.

• Es normal que aparezcan pensamientos, pero no les des

importancia y déjalos ir. Poco a poco aprenderás a calmar tu mente y a encontrar paz interior.

• Puedes empezar a meditar de cinco a veinte minutos diarios, hasta meditar por lo menos una hora.

• Las mejores horas para meditar son entre las 4:00 a.m. y las 6:00 a.m., ya que son las horas donde hay más silencio. Si eres principiante, escoge una hora temprano por la mañana y trata de practicar siempre a la misma hora.

• Lo más importante es cultivar la disciplina para que tu mente se habitúe y tu silencio se vuelva cotidiano.

NOTAS

1. Doctor Robert Svoboda, uno de los más importantes teóricos del ayurveda.

2. Doctor Vasant Lad, médico ayurveda de origen hindú (Poona, India).

3. Robert Svoboda, *Prakruti*. p.10.

4. Ana Paula Domínguez, Albuquerque, Nuevo México, 2000.

5. Un ser capaz de percibir las realidades ocultas y manifestarlas de un modo comprensible.

6. Sankhya (fundada por Kapila), Nyaya (fundada por Gautama), Vaisesika (fundada por Kanad), Mimamsa (fundada por Jaimini), Yoga (fundada por Patanjali), Vedanta (fundada por Badarayana) y Budismo (fundado por Siddharta).

7. Yogui Bhajan, Guadalajara, Jal, Nov. 28, 1992

8. Citado en Robert Svoboda, op. cit., p.9

9. Comunicación personal con el doctor Vasant Lad, 2000.

10. Fundador de la tradición sikh del norte de India. Escribió el Jap Ji.

11. Pauri 28 del Jap Ji, canto ambrosial de la tradición sikh. "Mundaa Santokh saram pat jholee dhi-aan kee kareh bibhoot Kint ´haa kaal ku-aaree kaa-i-aa jugat dañad parteet. Aa-ee panth ´he sajal jamaatee man jeetai jag."

12. Maya Tiwari, *A life of balance*, p. 150.

13. David Frawley, *Yoga & Ayurveda*, p. 25-26.

14. *Tejas*: la esencia del fuego cósmico.

15. Comunicación personal con el doctor Vasant Lad, 2000.

16. David Frawley, op. cit., p. 39.

17. Robert Svoboda, op. cit., p. 19.

18. Ibíd, p. 47.

19. Ibíd, p. 19.

20. Ibíd, p. 47.

21. Maya Tiwari, op. cit., p. 225

22. Robert Svoboda, op. cit., pp. 20-21.

23. *Yogui Bhajan*, *Tantra*, Ciudad de México, 2002.

24. David Frawley, op. cit., p. 105.

25. Comunicación personal con el doctor Vasant Lad, 2000.

26. Maya Tiwari, op. cit., p. 130.

27. Mark Oberlies, doctor en medicina interna, estudio publicado recientemente.

28. Entrevista realizada por Ana Paula Domínguez, México D. F., 2005.

29. Sharon Salzberg, *Lovingkindness*, p. 172.

30. El canto de los *mantras* nos sintonizan y alinean con la corriente universal del sonido. Los efectos de la meditación con *mantras* incluye la limpieza de la mente subconsciente, la creación de pensamientos divinos y la habilidad para escuchar los sonidos del universo. Si queremos sintonizarnos y acceder a una particular frecuencia universal, cantamos el *mantra* que vibra esa frecuencia.

31. Hace miles de años, los *yoguis* trazaron las áreas de las manos y sus reflejos asociados. Cada área refleja cierta zona del cuerpo o del cerebro. También representan diferentes emociones o comportamientos. Los *mudras* son posiciones de las manos que aplican presión en distintas áreas de las manos y de los dedos. Cada *mudra* es una técnica para dar mensajes sobre todo al sistema de inercia de la mente-cuerpo. *Shakta Kaur Khalsa, Kundalini yoga*, p. 30.

Parte II

Yoga
"Lo que es, es"
Yogui Bhajan

Introducción

En los últimos años, el yoga ha adquirido popularidad en Occidente. En ocasiones, se cree que practicar yoga es sólo realizar unas posturas complicadas. Esta es una creencia errónea. El yoga es una disciplina y una forma de vida integral.

Del sánscrito *yug*, la palabra yoga significa unir, es la unión del ser con su conciencia elevada.[1]

Asana o postura física es sólo una de las ocho ramas que conforman el yoga.

La intención de esta segunda parte, es exponer el sustento filosófico de esta disciplina milenaria de la India. El objetivo es que puedas acercarte a ella teniendo un conocimiento integral de la misma. En particular, una de las modalidades del Kundalini yoga, que enseñó Yogui Bhajan.

De acuerdo a Patanjali, quien compiló las enseñanzas del yoga, existen ocho ramas que hacen referencia a nuestra conducta social y personal. Esto incluye la meditación, el uso de nuestros sentidos, la respiración, las posturas y el estado de total presencia.

Las ocho ramas del yoga
I. *Yama*. **Observancias sociales**

    a. *Ahimsa*. La no violencia. Este es el primer principio de la práctica de yoga. Propone abstenerse de dañar a otros y no causar dolor a nivel físico ni emocional. Postula que el comer a un animal es ir en contra de este principio. Desde un punto de vista estricto, *ahimsa* es el fundamento del vegetarianismo. También hace referencia a no dañarnos a nosotros mismos en la vida cotidiana y en nuestra práctica de *asana*.

    b. *Satya*. El ser verdadero. "No hay virtud más excelente que ser verdadero ni mayor pecado que mentir. El hombre debe buscar refugio en *satya* con todo su corazón. Si no hay verdad no sirven de nada los *mantras*."[2] Vasant Lad sugiere que al decir la verdad hay que considerar el no dañar a otros.

    c. *Asteya*. Abstenernos de robar, que es un principio universal. Feurstein lo relaciona con el principio de la no violencia. Toda vez que la apropiación no autorizada de los objetos de valor de otra persona, es un acto de violencia contra el dueño de esos objetos.

    d. *Bramacharya*. El control de la energía sexual. Mantener la continencia sexual proporciona fuerza mental, física y espiritual. En general y estrictamente desde la perspectiva del yoga, comenta Feuerstein, la estimulación sexual interrumpe el impulso hacia la liberación, al alimentar una experiencia sensorial que podría lleva a la perdida de energía vital (*Ojas*).

e. *Aparigraha*. Practicar el desapego y el deseo de obtener o ganar bienes materiales. Ser simples ya que los bienes materiales distraen la mente. Renunciar es un aspecto integral del estilo de vida yóguico.[3] También se refiere a no cargar con la memoria del dolor pasado, tal como sugiere Lad.[4]

II. *Niyama*. Observancias personales

a. *Shaucha*. Pureza. Hace referencia a practicar un estilo de vida de limpieza y purificación: del cuerpo físico a través de baños y usando ropa de fibras naturales como el lino, el algodón, la lana; del cuerpo interno al tener una dieta específica y desintoxicándolo; de la mente a través de técnicas de meditación; y del espíritu ofreciendo nuestro servicio desinteresado.

b. *Santosha*. Alegría de vivir. Contentamiento. Practicar una actitud de gozo al reconocer la fortuna de estar vivos. Aceptar lo que es y amar lo que tenemos.

c. *Tapas*. Austeridad o disciplina. Un ayuno, recitar un *mantra* diez y seis horas diarias por siete días; quedarse parado durante horas, pueden ser todos ejemplos de *tapas*. Dice Georg Feurstein: "Al perfeccionar tapas se queman los deseos y el *karma*[5]. Así uno obtiene el control del cuerpo y los sentidos". Vasant Lad relaciona *tapas* con el hecho de ser completamente honestos con nuestro camino.

d. *Svadhyaya*. Estudio del ser, de la vida, de la espiritualidad. Ejemplos de *svadhyaya* son: la repetición de *mantras*; entrar en estados de meditación profunda; sumergirse en el flujo divino; estar atento y observar; y contemplar nuestras reacciones.

e. *Ishvara Pranidhana*. Rendirse a la voluntad divina. Rendirnos a lo que somos y a lo que es soltar el control de cómo creemos que las cosas deberían ser. El sentido de rendirnos y de la devoción nos abre a la experiencia de ser nutridos, de ser instrumentos de una conciencia más elevada de servicio, de dar para ayudar a otros en su despertar. Se relaciona con el que se ve a sí mismo en todos.[6]

Las *yamas* y *niyamas* son los fundamentos éticos para la integridad y el bienestar del ser.

III. *Asana*. Posturas físicas

Las posturas de yoga dirigen el flujo del prana o la fuerza vital. De acuerdo a Patanjali, la postura debe de ser "estable y cómoda": tu postura, es la postura de tu mente.[7]

> Del *asana* provienen la calma del cuerpo y de la mente, la liberación de la enfermedad y la ligereza de las partes del cuerpo.
>
> Hatha yoga Pradipika, 1.17.

IV. *Pranayama*. Control de la fuerza vital.

La respiración es una manifestación de *prana,* que es la fuerza que sostiene toda la vida. Al regular la respiración y la concentración, la fuerza de la vida puede ser dirigida a los centros de la cabeza y puede llevar al practicante al éxtasis.[8]

La respiración es un medio de limpieza y desintoxicación, para procurar una larga vida. Vasant Lad comenta: "La respiración y el pensamiento están conectados profundamente. Controla tu respiración y aquietarás tu pensamiento".[9]

V. *Pratyhara*. El control de los sentidos.

Hace referencia a descansar y a disminuir la contaminación de nuestros sentidos.

En el mundo nuestros sentidos son bombardeados. A través de las impresiones visuales que recibimos, por ejemplo: una y otra imagen pasando en la televisión rápidamente, los espectaculares o las películas violentas. Por medio de impactos auditivos como las noticias negativas que llegan una tras otra. A través del impacto de la cantidad de alimentos y sabores que consumimos. También por medio de las impresiones físicas de las personas con las que nos relacionamos.

Podemos procurar enfocarnos a recibir informaciones positivas para nuestros sentidos como mirar el océano, el cielo azul, quizás practicar un ayuno, ir al campo, escuchar música que nos invite a la relajación, reducir el ruido de nuestra mente.

Pratyahara nos enseña a guardar nuestra energía y a no

dispersarla innecesariamente; aprender a usar nuestros sentidos correctamente; comprender que cuando vemos algo, quizás un árbol, estemos en total presencia, convirtiéndonos por un momento en ese árbol, sin ninguna separación y recibamos lo que ese árbol nos ofrece de regreso.

VI. *Dharana*. Atención correcta.
Hace referencia a poner atención en cada actividad que estamos realizando en el momento presente.

VII. *Dyhana*. Meditación.
Este es el estado natural de atención, de contemplación, cuyo propósito es calmar la mente. Funciona como medicina para la mente.

VIII. *Samadhi*. Espacio de éxtasis.
Es el estado de la mente neutral y ecuánime. Se refiere al momento en que el ser ha alcanzado la liberación y la iluminación.

Vasant Lad define *samadhi* como el estado en que lo observado (*tamas*), el acto de observar (*rajas*) y el que observa (*satva*), se funden. Así y las tres *mahagunas* (*satva, rajas, tamas*) están en equilibrio.[10]

Los caminos del yoga
Los *rishis* se dieron cuenta de la incapacidad del hombre para trascender. El hombre no tenía esperanza e inventaron una forma de liberación. Lo hicieron de forma indirecta

porque no lo podían hacer a través de la mente y desarrollaron posturas, ritmos de respiración y sonidos como un sistema para romper con el programa.

Existen muchos caminos y estilos de yoga. De acuerdo a David Frawley, se resumen en cinco. El *Raja yoga* integra a todos ellos. Sin embargo, uno puede acceder al yoga siguiendo cualquiera de ellos.

Jnana yoga. El yoga del conocimiento.
Antes que nada, yoga es una búsqueda de conocimiento sobre la vida, el ser, Dios y el universo. Es una investigación especial que no está hecha con la mente ni con los sentidos, sino con el corazón. El yoga del conocimiento no es primariamente una práctica de la mente pensante, aunque sí se empieza con una ponderación profunda de las cuestiones primarias de la vida y requiere de una racionalidad rigurosa. Es un modo de meditar que requiere que la mente descanse en un estado de observación pacífica para descubrir la verdad, no por el pensamiento, sino por la percepción.

El yoga del conocimiento es simple en su formulación pero difícil en la práctica. Dice que Dios o lo Absoluto es nuestro verdadero ser. Y que lo único que tenemos que hacer para encontrar a Dios es dejar ir nuestros apegos, renunciar a todo pensamiento y descansar en nuestros corazones. Usa varios métodos de razonamiento, discriminación y afirmación.

Se fundamenta en una total renunciación y gran austeridad.

Algunos ejemplos del *Jnana yoga* son la meditación en el ser. Requiere de total control sobre los sentidos y los *pranas*,[11] para lo cual hay que tener una dieta pura y auto control.

Bhakti yoga. El yoga de la devoción.
La devoción es el camino del amor a través del cual buscamos fundirnos en la divinidad de nuestro corazón. Nos da libertad para elegir cualquier tipo de deidad. Esto se deriva del reconocimiento de las diferencias en cada individuo. El yoga, como explica Frawley, ofrece varias deidades como Shiva, Vishnu, Rama o Krishna, entre otros. A veces el símbolo es un maestro divino o *gurú*.

Existen muchas prácticas devocionales como realizar rituales (*pujas*), cantar himnos devocionales (*kirtan*), cantar los nombres de Dios (*japa*) o meditar en alguna forma divina (*uppasana*).

El yoga de la devoción es el mejor medio para sanar el corazón y nuestra naturaleza emocional frecuentemente desequilibrada.

Es un poco más libre ya que lo que predomina es el poder de la inspiración y no es tan estructurado como los caminos anteriores.

El *Bhakti yoga* es un camino de liberación, porque como explica Guru Dev Singh Khalsa, "es una técnica para sumergirse en el campo electromagnético del objeto de adoración y entonces entrar en un estado de iluminación al integrarse los dos campos electromagnéticos".[12]

Más que tener una creencia abstracta o aislada, el practicante ha de permitir que su campo electromagnético se sumerja en el objeto de la devoción, sin ninguna distracción o resistencia.

Karma yoga. El yoga del servicio.

Es el yoga de la acción. En su primera parte se refiere a los rezos y rituales para autopurificación y elevación del mundo. La segunda parte habla del servicio a todos los seres vivientes. Todas las enseñanzas espirituales hablan de la necesidad de ayudar al mundo y elevar a la humanidad.

En las tradiciones yóguicas serias, parte del aprendizaje del estudiante de yoga es que haga un servicio. En sánscrito se llama *seva*. Esto consiste en proveer comida o ropa a los pobres o necesitados, trabajar en escuelas u hospitales o compartir libros y enseñanzas. No está limitado a ayudar a los pobres, sino que se extiende a ayudar a los animales, las plantas y al planeta. La mayoría de los caminos del yoga empiezan cuando el estudiante toma una actividad de servicio, ya sea cocinar o limpiar el centro de yoga.

La práctica espiritual personal debería de ser un servicio dirigido a todos los seres. De otro modo tiene muy poco valor. Como concluye Frawley, el *Karma yoga* es el comienzo y el final. El más bajo y el más elevado de todos los yogas. Los que lo rechazan pierden el verdadero espíritu del yoga.

Kriya yoga. El yoga de la acción.

La ciencia yóguica tiene su propia metodología. Ésta consiste en varias disciplinas y técnicas que incluyen al cuerpo, a la respiración y a la mente, con el fin de desarrollar una atención más profunda. Todas ellas están incluidas en el *Kriya yoga*. Se refieren a una acción, proceso o movimiento. En particular, el desdoblamiento del *prana* y la mente para obtener la purificación y la transformación. Todo esto con la meta de estar listos para una meditación profunda.

El *Kriya yoga* se divide en tres partes:

a. *Tapas*: autodisicplina.

b. *Svadhyaya*: autoestudio.

c. *Iswara pranidhana*: aceptar la voluntad divina.

Entre otras formas del *Kriya yoga* están:

***Mantra yoga*.** El yoga del sonido.

Incluye todo tipo de formas de repetición o el canto de rezos. El *mantra* es quizás el método principal del *Kriya yoga*. Es aún más importante que las posturas de yoga y se podría llamar, como dice Frawley, "posturas para la mente". Todas las prácticas de yoga deberían de iniciar y terminar con un *mantra*.

***Tantra yoga*.** El yoga sutil.

Literalmente significa ritual. Hace referencia a varias técnicas de yoga que incluyen: *mantra, yantra* y visualización.

No son simplemente posturas sexuales, que son sólo un aspecto del *tantra* en su forma más inferior. El *tantra* es un método que nos enseña cómo trabajar con la energía a un nivel sutil.

Hatha yoga. El yoga del cuerpo físico.

Es el más común de los yogas de la técnica *Kriya yoga*. Significa yoga del esfuerzo. Abarca mucho más que las posturas de yoga (*asana*), ya que incluye un gran rango de métodos de purificación, *mantra* y meditación.

El *asana* que domina en Occidente es a veces llamado *Hatha yoga*. Tal vez porque en los textos clásicos de *Hatha yoga* encontramos una explicación más detallada del *asana*. Hay excelentes maestros de *asana* en Occidente. Sin embargo, en el "*Hatha* yoga de Occidente" rara vez se habla de los otros métodos *clásicos del Hatha* yoga de la India. Por lo tanto, no es correcto llamarlo *Hatha yoga*. El *Hatha yoga* clásico es un camino para los ermitaños que requiere de gran austeridad física. Emplea poderosos métodos internos de limpieza que demandan vivir en circunstancias muy especiales. Se dice que el *Hatha yoga* nos lleva al *Raja yoga* o a un yoga más elevado, en donde la meditación es el principal objetivo.[13]

El *Raja yoga*. El yoga integral.

Cubre el rango entero de practicas yóguicas que van de las posturas de yoga, la meditación, el *pranayama*, el mantra, hasta muchas de las formas de meditación.

El *Raja yoga* es integral, paralelo al ayurveda que integra todos los aspectos del cuerpo y el alma (de la alimentación hasta la meditación), explica David Frawley.

Visto desde otro ángulo, en primer término estaría el camino del *Raja yoga*, el yoga real, por su naturaleza integral. En segundo término el camino del *Kriya yoga*, por su naturaleza práctica. Uno es integral y el otro es práctico.

El Kundalini yoga. El yoga de la conciencia.

Pertenece al linaje de tradiciones del norte de la India, se inspira en el *Raja yoga*, conservando sus preceptos como un sistema de vida integral.

El camino de yoga clásico, tal y como fue compilado por Patanjali, es de renunciación y muy difícil de llevar a cabo en su totalidad en las sociedades actuales. Quizás por eso se haya popularizado más la práctica y perfeccionamiento de posturas de yoga. Sin embargo, el *Kundalini yoga*, del cual hablaremos a continuación, integra los caminos de yoga, adaptándose a las necesidades de la vida cotidiana y a la gente común.

Kundalini yoga. Regalo de Yogui Bhajan a Occidente

La disciplina del *Kundalini yoga*, que aprendió Harbhajan Singh Khalsa Yogui Bhajan (1929-2004), era usada por nobles, guerreros y reyes como un camino hacia la iluminación.

Kundalini yoga me parece muy completa, además de que "nos permite llegar a estados místicos en poco tiempo y encontrar la liberación en la vida cotidiana".[14]

En India esta técnica se enseñaba en secreto y se transmitía de generación en generación. En Occidente era desconocida hasta que en 1969, Yogui Bhajan trajo estas enseñanzas y las compartió abiertamente.

Yogui-ji llegó a Los Ángeles en la época *hippie* y del *flower power* con 35 dólares en el bolsillo. Mientras los jóvenes buscaban encontrar su espiritualidad a través de viajes de marihuana o ácido, Yogui Bhajan les enseñó a meditar.

> Todo ya está hecho. Sólo lo tenemos que encontrar.
> Yogui Bhajan

Las enseñanzas de *Kundalini yoga*, además de las posturas, la respiración, la meditación y el *mantra*, incluyen toda una forma de vida para aprender a cultivar la devoción, la disciplina, el servicio, la generosidad, la relación con nuestro ser físico, energético y espiritual.

Cultivando la disciplina

Tener una disciplina de meditación no es algo fácil. Debemos practicar sin tener una expectativa.

Cuando se comienza en la práctica, se esperan muchas cosas: tener experiencias sensoriales, ver luces de colores, iluminarse y por fin salir del sufrimiento; lograr estar sin pensamiento alguno, o estar muy relajado. Siempre se busca o un estado, o encontrar algo fuera de lo ordinario. Sin embargo, pueden pasar años y años de frustración haciendo cuarentenas, levantándose a meditar a las 4:30 de la mañana o tratar de meditar por la noche. Intentos y más intentos para conseguir controlar la mente y los pensamientos. Intentos de concentrarse en la respiración que acaban en un bostezo y deseos de irse a dormir. Meditaciones eternas repitiendo *mantras*.

En una ocasión mi maestro dijo: "Levántate a meditar por las mañanas para limpiar tu mente, así como te bañas para limpiar tu cuerpo, y durante el resto del día no le des tanta importancia. Al seguir ofreciendo tu práctica disciplinadamente, un día reconocerás el silencio, el espacio de la meditación".

El servicio

Dios nos creó como nos creó y yo no le entregué ninguna hoja escrita con mis sugerencias de cómo quería ser. No existe preocupación. Sólo haré lo mejor que puedo hacer. Lo único que puedes es hacer tu mejor esfuerzo.[15]

El servicio es una de las prácticas de Kundalini yoga que más llama la atención. Al terminar una clase de Kundalini yoga alguno de los alumnos sirve *yogui té*[16] y galletitas, nueces o amaranto. Este es el momento en que el maestro y los alumnos nos reunimos a compartir nuestras experiencias.

En el mundo occidental, lejos de servir, estamos buscando tener más y pedimos más aquí y ahora. Pero, ¿qué es lo que le ofrecemos a la vida a cambio?

> Servicio no quiere decir que sirves a tu propio propósito. Si sirves a otros, entonces tendrás amigos para siempre. Si sirves a otros, la madre naturaleza te va a servir a ti.
>
> Yogui Bhajan[17]

¿Disfrutas lavar los platos? Yo no lo hacía, hasta que la vida me regaló la oportunidad de servir haciendo dicha labor.

Era un verano y yo estaba estudiando. Se acercaba el "solsticio" o retiro de *Kundalini yoga* que se hace anualmente en Ram Das Puri, unas hermosas montañas al norte de Española, Nuevo México. Aunque no era muy caro, las finanzas no me alcanzaban para pagarlo. Hice más averiguaciones y, al final, me propusieron una beca para asistir a cambio de servir en la cocina.

Por supuesto acepté. En un abrir y cerrar de ojos, ya estaba en plena cocina. Con el calor propio del verano en el desierto, lavando los platos de más de 800 personas. Además de lavar los platos y las enormes cazuelas, mi función era la de hacer el *yogui té* a las cuatro de la mañana. Pocas habían sido las experiencias que realmente me habían transformado de fondo. Ésta fue una de ellas. De rara vez lavar los platos y con desgano, pasé a hacer tan loable labor cantando *mantras* y con todo el amor de mi corazón. Entonces aprendí que dar realmente es recibir. Como dice Guru Dev, "sólo si pensamos en el otro, la espiritualidad tiene sentido". Reconozco que salir del "yo-yo" y del "quiero más" es algo en lo que tenemos que seguir trabajando día a día. Los momentos en que logramos salir de nuestro "drama personal" y estar presente con ese ser al que le estamos regalando una sonrisa, son los que más gozo nos proporcionan.

En la vida diaria tenemos la posibilidad de servicio: ya sea desde abrir las puertas de nuestra casa a alguien, escuchar a otro, o ayudar en lo que se necesite.

Ver Anexo 8. Receta del **yogui té**

La generosidad

En la mano del dar está la prosperidad, es una ley de la vida: "Entre más das, más recibes". Sin embargo, el miedo es el que nos hace ser avariciosos y codiciosos.

La abundancia no es cuánto dinero se tiene en el banco, sino un espacio, un estado de vida.

Hubo un momento en la vida de un devoto en el que no le estaba yendo muy bien económicamente. Entonces, sus amigos le decían: "Da, para que la vida te dé más de regreso". Él pensaba que si sacaba esa monedita de un peso y se la daba a quien se la pedía, ya estaba dando. En otras ocasiones, inconscientemente (o muy conscientemente) prefería no voltear o cerraba el vidrio de la ventanilla del coche para no ver a esa persona que le estaba pidiendo dinero. Tenía esa actitud heredada de pensar en el dinero como equivalente de abundancia. Se la pasaba haciendo cálculos de cuánto iba o no a ganar.

En la tradición *sikh* siempre nos enseñan que uno tiene que dar el 10% de sus ganancias. Esto puede ser a instituciones espirituales o a quien lo necesite. El devoto lo hacía, pero un poco forzado.

Un día, un estudiante se quejaba de no tener abundancia en su vida y el maestro le dijo: "Prepara 11 tortas y regálalas en la calle." Eso hizo. Ésta fue una de las experiencias más transformadoras en su vida. Porque ya podrás imaginarte las caras de felicidad de aquellos que recibían su alimento del día.

Como dice Sharon Salzberg: "Cuando ofrecemos comida a alguien, no sólo estamos ofreciendo a alguien qué comer; estamos ofreciendo fortaleza, salud, belleza, claridad de mente e incluso vida, porque ninguna de esas cosas sería posible sin el alimento. Cuando alimentamos a otro, estamos ofreciendo la sustancia de la vida misma".

> Si tú supieras, como yo lo sé, el poder del dar, no dejarías que pasara una sola comida sin compartir parte de ella.
>
> Buddha

De quien he aprendido el arte de la abundancia y la generosidad es de Guru Dev Singh Khalsa, mi maestro espiritual. No hay una sola persona que esté cerca de él que no reciba algo. Les da regalos, enormes propinas, su tiempo y todo su amor. Mantiene a familias enteras y estudiantes en la India. Vive dando. Alguna vez comentó que jamás en su vida, ni en los peores momentos, había pensado en el tema del dinero, y hasta ahora, nunca le ha faltado nada.

> Al dar, purificamos la mente que desea y nos abrimos hacia una actitud de ofrecer; la generosidad no necesariamente es dar algo material, puede ser cuidar a alguien, dar protección, gentileza y amor.
>
> Sharon Salzberg

Cuando no logramos ser abundantes es por miedo

El miedo intrínseco. El temor de: "y si no gano lo suficiente"; "qué tal que no tengo qué comer y me muero"; "cómo le voy a hacer"; "alguien me puede hacer algo, o quitar algo". Otra razón es porque siempre pedimos más de la vida.

El pedir más de la vida es algo que heredamos de nuestra cultura. Cultura que todo el tiempo nos invita a pedir más, a tomar o a moldear las cosas tal y como queremos. Este querer más, también proviene de la creencia en que lo que necesitamos está afuera de nosotros: una pareja, una casa o un coche.

Es importante comprender que la vida dura sólo un momento. Todos vamos en esta ola que nos lleva de abajo a arriba, y de arriba abajo. Sólo tenemos este instante y no hay nada que podamos hacer para que las cosas sean como "yo quiero". Me puedo rendir con humildad al "yo quiero", sabiendo que tengo estas manos que escriben, este corazón vivo que siente y este preciso instante. Sólo tenemos que recibir las bendiciones de la vida. La vida sigue su propio flujo. Ya somos prósperos y abundantes; siendo y yendo. "La vida es y será, aquí y ahora."

Practicando Kundalini yoga

Consejos básicos para la práctica de Kundalini yoga:

1. No practiques Kundalini yoga bajo el efecto de drogas o alcohol.

2. No mezcles los diferentes tipos de yoga. Cada estilo de yoga tiene sus propios efectos. Al mezclar técnicas y linajes sólo te confundes.

3. Vístete de blanco o colores claros para purificar tu espacio energético.

4. Cúbrete la cabeza. El cubrirse la cabeza incrementa la cantidad de energía solar que entra al cuerpo y el atar tu cabello hacia arriba mejora la concentración.

5. Mientras meditas observa las sensaciones que se producen. Al terminar la meditación, permanece unos momentos contemplando lo que sucedió.

6. Sólo practica el tiempo que sea indicado en cada meditación. Tal y como es sugerido por Yogui Bhajan.

7. Prepara un espacio especial para meditar:

a. Siéntate sobre un tapete de lana.

b. Cómprate un chal que sea exclusivamente para ti, para que se llene de la energía de la meditación.

c. Pon un altar en donde haya agua, flores e incienso, para que estén todos los elementos de la naturaleza presentes.

8. Al terminar tu meditación comparte los beneficios de tu práctica y agradece las enseñanzas.

9. Cierra el espacio de la meditación cantando tres veces el *mantra* "Saaaaaaat Nam" (identidad verdadera).

10. Es recomendable practicar cada tipo de meditación durante cuarenta días seguidos, para realmente transformarte y hacer de la meditación un hábito.

11. Algunos días puede darte flojera hacer tu meditación.

Aunque sea durante tres minutos, hazla. De esta forma, estarás enseñando a tu mente a acostumbrarse a abrir el espacio.

12. No te juzgues si te quedas dormido mientras meditas o si piensas en todo menos en recitar el mantra o si estás atento durante tu práctica. Solamente haz tu práctica.

13. No esperes nada y no te cuestiones. Sin expectativas, medita.

14. Lleva tu estado meditativo a tu vida diaria. Este es el punto más importante de la práctica.

15. Si tuviste alguna experiencia especial al meditar, "no te la creas", como dice mi maestro, "vete a bailar o diviértete" y simplemente continúa con tu disciplina.

16. No trates de obligar o convencer a todos tus familiares y amigos de meditar contigo. Todos tenemos nuestro momento y todos estamos haciendo lo mejor que podemos desde el lugar donde nos encontramos el día de hoy.

17. Entónate como te explico a continuación.

Meditaciones sugeridas
Entonación

Entónate con *Adi mantra*: "*Ong Namo Guru Dev Namo*".

Ong es la energía creativa infinita. Es una variación de la sílaba cósmica *Om*, que denota lo Absoluto, el Creador Oculto. *Namo* tiene la misma raíz que la palabra *namasté*, que significa saludo reverente o "hago reverencia ante ti".

Ong Namo significa "llamo a la conciencia creativa infinita". *Gurú*, es el maestro o la manifestación de la sabiduría que uno está buscando, es aquello que te lleva de la oscuridad a la luz. *Dev*, significa divino o dios, en un sentido no terrenal. *Namo*, al final del *mantra* reafirma la reverencia. Juntos significan "saludo a la sabiduría universal y divina".[18]

Transición

Antes de comenzar junta las palmas de tus manos y llévalas al corazón. Cierra los ojos. Respira unos momentos para hacer una transición. Para contactar con tu ser interior, tu verdadera esencia, repite el mantra *"Ong Namo Guru Dev Namo"* tres veces.

Para la abundancia[19]

Dice la leyenda que un día caluroso de verano, un ser caminaba por el desierto, sin rumbo, abierto a cualquier posibilidad que el universo le presentara. Entonces volvió la mirada al cielo y volteó las palmas de las manos hacia arriba. Cerró sus ojos y de pronto cayó una moneda de oro en sus manos. Sonrió y permaneció respirando en esa misma postura con los ojos cerrados. Después se arrodilló y agradeció reiteradamente las bendiciones. De pronto le empezaron a caer una, dos, tres y cientos de monedas de oro del cielo.

Otro ser, en otro desierto del mundo en las mismas condiciones, recibió también una moneda del cielo. Pero éste simplemente cerró el puño agarrando su moneda de oro con fuerza y siguió su camino sin más.

La anterior meditación la enseñó Yogui Bhajan y es "excelente para desarrollar la cualidad de receptividad y así abrirnos a la abundancia". Como comenta Siri Kirpal Kaur, esta meditación es óptima para agradecer y reconocer todas las bendiciones y la abundancia que ya tenemos.

Cómo se hace

Con la espalda recta, ya sea sentado sobre una silla o en el piso con las piernas cruzadas, voltea las palmas de las manos al techo y junta la parte externa de las mismas, como en forma de copa. Los codos permanecerán cerca de las costillas y el *mudra* (posición de las manos) a la altura del corazón. Cierra los ojos y sólo ábrelos una décima parte y mira la punta de la nariz. Relaja los hombros y el pecho. Recibe la lluvia de bendiciones del universo y reconoce la posibilidad ya manifestada de abundancia, salud y felicidad.

Si hay algo en específico que desees desde tu corazón, haz un decreto y fúndete en el espacio de tu petición como si ya estuviera sucediendo. Agradece todo lo que sí tienes el día de hoy. Permanece de 3 a 11 minutos en la postura y relájate.

Meditación para la confianza[20]

Federico Gaxiola, instructor de Kundalini yoga, comenta en relación con esta meditación: "Es una meditación muy recomendable para personas que tienen poca confianza en sí mismas. Las lleva a confiar en el 'yo puedo'".

Yogui Bhajan dijo que "esta meditación te vincula al Hacedor. Durante la meditación tienes que dominar una serie de inercias, que son las que en tu vida cotidiana te hacen ser inseguro. Al hacer esta meditación, tienes que vencer la inercia a no esforzarte. Si sigues practicándola empezarás a confiar más en ti y a enfrentar mejor los desafíos en tu vida".[21]

Cómo se hace

Siéntate en postura de loto o simplemente con las piernas cruzadas. Sube los brazos por arriba de la cabeza. Si eres mujer, apoya con suavidad la palma de la mano izquierda encima de la mano derecha. Si eres hombre, apoya suavemente la palma de la mano derecha encima de la mano izquierda. En el principio los dedos pulgares están dirigidos hacia atrás y separados, luego las yemas de los dedos pulgares se juntan al iniciar la meditación. Los ojos están casi cerrados. Mira el labio superior. Canta suavecito, casi vibrando el *mantra "Wahe Gurú"* (se pronuncia como *vua he guru*). Cada repetición dura 2 segundos y medio. Continúa por 11 minutos. Al repetir el mantra pon atención en la vibración que se genera en los labios al decir *vua* y el contacto de tu lengua con el paladar al decir *Gu-ru. Wha* significa extásis, *guru* lo que te lleva de la oscuridad a la luz.

Para abrir el corazón

Está meditación la enseñó Yogui Bhajan en el año de 1972. El centro del corazón es el más importante para abrir los potenciales de compasión y de humildad del ser. Esta postura ayuda a equilibrar la frecuencia y la cualidad del corazón.

Cómo se hace

Para hacer esta postura, siéntate en el piso con las piernas cruzadas. Pon la mano derecha en puño y estira el pulgar. Con la mano izquierda toma el puño de la mano derecha a la altura del dedo anular derecho. Lleva el pulgar derecho al ombligo y ejerce una ligera presión en dicho punto. Comienza a respirar suave y profundamente. Pon atención en el flujo de la respiración que va del punto del ombligo al entrecejo y de regreso. Continúa por 11 minutos.

Para la transformación
A. Para el cambio evolutivo
SA TA NA MA (kirtan kriya)

En algún momento casi todos hemos pensado en cambiar algún hábito o patrón de conducta. Con este propósito nos disponemos a hacer una transformación en nuestra vida. Queremos ser felices, tener paz interior, relaciones armoniosas, ser saludables y tratar de romper con hábitos destructivos. "SA TA NA MA" es el *mantra* básico enseñado por Yogui Bhajan. Este *mantra* nos ayuda a reorientar la mente y abrirnos a la posibilidad de la transformación. La cualidad de "SA TA NA MA" contiene los sonidos primordiales para conectarnos con la naturaleza evolutiva de la existencia misma.

Cómo se hace

Siéntate con la columna recta. Entona "*SA TA NA MA*". Visualiza que el *mantra* llega del cielo, entra por la coronilla y sale por el área del entrecejo. Mientras entonas presiona alternadamente el dedo pulgar con los cuatro dedos. Aprieta los dedos suficientemente fuerte para mantenerte despierto y consciente de la presión. Sigue repitiendo en un ritmo estable.

SA presiona el dedo pulgar e índice.
TA presiona el dedo pulgar y medio.
NA presiona el dedo pulgar y anular.
MA presiona el dedo pulgar y meñique.
El *mantra* se debe realizar durante 31 minutos de la siguiente manera.
5 minutos en voz alta.
5 minutos en susurro.
11 minutos en silencio.
5 minutos en susurro.
5 minutos en voz alta.

Si eres principiante realiza, esta meditación por 11 minutos de la siguiente manera:

2 minutos en voz alta.
2 minutos en susurro.
3 minutos en silencio.
2 minutos en susurro.
2 minutos en voz alta.

B. Para desarrollar nuestra capacidad intuitiva y curativa

Esta es una de las meditaciones que Guru Dev Singh Khalsa recomienda, llamada también, atrapalluvias (*raincatcher*).

Para hacerla, siéntate sobre un tapete con las piernas cruzadas y la espalda recta. Siente el contacto de tus pies con el piso y empújalos un poco hacia la tierra. Observa cómo se estira más tu columna vertebral.

Ahora relaja los hombros por completo y, sin subirlos hacia los oídos, estira el brazo derecho paralelo al piso. Voltea la palma de la mano hacia arriba y ponla en forma de copa como si estuvieras atrapando la lluvia.

Ahora lleva la mano izquierda perpendicular al piso. Dobla el codo y permite que el dedo pulgar tome la uña del dedo anular, el resto de los dedos quedarán estirados hacia el techo.

Entrecierra los ojos y déjalos caer para mirar la barbilla.

Repite el mantra *"Wahe guru"* (recuerda que suena como *vua je guru*) muy quedito.

Respira uniformemente, largo y profundo. Permanece en la postura sin moverte 11 minutos. Las primeras veces que practiques esta meditación te puede a costar trabajo. Sin embargo, vale la pena que no te muevas. Cuando te duela mucho, sigue respirando y permanece en la postura, deja que el dolor pase.

Al finalizar, inhala, pon los dedos de las manos como uña de tigre y gira la columna hacia la izquierda y luego hacia la derecha. Exhala, regresa al centro y relájate.

Bound Lotus Kriya

Esta es la postura que alguna vez Yogui Bhajan le dejó practicar a una de sus alumnas (Mahn Kirn). Le instruyó para practicarla 31 minutos diarios. Le cambió su vida.

Bound Lotus es conocida como Baddha padmasana con raíces en Kundalini yoga, Ashtanga yoga y Hatha yoga. En Kundalini yoga, tal como fue enseñado por Yogui Bhajan, *Bound Lotus* se sostiene por 31 minutos, proporcionando muchos beneficios físicos, mentales y emocionales al que la practica. La principal virtud de esta postura es que es restaurativa. Las piernas están en loto completo, los brazos atrás, las manos toman los dedos de los pies y la frente hacia el piso. Aunque no seas capaz de sostener la postura perfecta, de todos modos recibirás los beneficios. Como dice Yogui Bhajan, "cuando una postura se sostiene, al pasar el tiempo, el universo viene a sostener a esa persona".

Bound Lotus Kriya o *Baddha padmasana* es una postura hacia delante (*forward bend*) que calma los nervios y tranquiliza la mente.

> La belleza de esta práctica es que podemos experimentar el cuerpo como un vehículo de transformación y sanación. Esta postura ayuda a fortalecer el sistema nervioso, lo cual es esencial para mantener la vitalidad física a lo largo de la vida. La práctica de *Bound Lotus Kriya* puede liberar emociones como el miedo, la ansiedad, la inseguridad, el resentimiento y los celos. Ayuda a liberar las emociones negativas que se quedan "pegadas" en los tejidos creando dolor o desequilibrio.
>
> Mahn Kirn Kaur Khalsa

Otros beneficios

Abre los hombros y las caderas; promueve la flexibilidad física; mejora la digestión y fortalece el sistema nervioso; activa los centros energéticos; trabaja a nivel emocional, físico, espiritual y mental; desarrolla un estado de silencio (*shuniya*) y de dicha suprema (*anand*).

A pesar de que mi maestro Guru Dev me instruyó para realizar esta postura hace más de tres años, me costaba mucho esfuerzo y pronto la abandoné. Sin embargo, al desarrollar mayor flexibilidad en mi cuerpo y calma mental, he vuelto a empezar a practicarla diariamente. La sugiero como una postura esencial para *vata*, ya que ayuda mucho para detener el flujo de los pensamientos. Es ideal para la ansiedad y para aprender a disminuir el ritmo acelerado de la vida. Es especialmente restaurativa y ayuda a aprender a escuchar el silencio interno.

Cómo se hace
Variación para principiantes

Si no tienes mucha flexibilidad, únicamente siéntate con las piernas cruzadas. Estira la espalda. Contacta con el piso. Inhala, y al exhalar lleva la frente al piso manteniendo la espalda recta. Si tu cabeza no llega al piso, usa un bloque. Lleva la mano izquierda por atrás y ponla lo más cercano posible en la ingle derecha. Lleva la mano derecha por atrás y ponla lo más cercano posible en la ingle izquierda. Permanece de 11 a 31 minutos en la postura.

Otra variación es sentado: estira las dos piernas, lleva el pie derecho a loto al ponerlo sobre la ingle izquierda. Estira y activa la pierna izquierda. Alarga la columna vertebral. Inhala, lleva la mano derecha por atrás de la espalda y trata de tomar el dedo gordo del pie derecho. Al exhalar lleva el tronco hacia el piso y respira. Te puedes quedar 3 minutos en esta postura y luego repetir haciendo la postura con la otra pierna.

Postura completa

Siéntate en el piso con las piernas cruzadas. Con las dos manos toma el pie derecho y el tobillo de tal forma que el tobillo esté sostenido por tu mano. Pon el dedo pulgar de la mano izquierda en el metatarso abajo del dedo gordo del pie. Gira el pie hacia el ombligo y, muy despacio siguiendo ese movimiento, lleva el pie derecho a la ingle izquierda. Ahora inclina ligeramente el cuerpo hacia atrás y de la misma forma y muy gentilmente, lleva el pie izquierdo hacia la ingle derecha. Endereza la columna. Entrelaza los dedos de las manos y estira los brazos por arriba de la cabeza. Observa la fuerza de los glúteos empujando hacia la tierra, la columna vertebral y la cabeza creciendo hacia el techo. Respira suavemente y tratando de mantener la columna vertebral integrada y recta, lleva el pecho hacia el piso. Estira los brazos y alarga la columna vertebral lo más que puedas. Relájate. Ahora lleva tu mano derecha por atrás de la espalda y trata de tomar el dedo gordo del pie izquierdo, y con los dedos de la mano izquierda, trata de tomar el dedo gordo del pie derecho. Quédate en la postura respirando suave y profundo. Ve construyendo tu práctica de a 3 a 31 minutos. Trabaja la mitad del tiempo subiendo primero el pie derecho en loto y luego el izquierdo, y la otra mitad del tiempo, el otro lado. No hagas esta postura sin calentar y de ninguna manera si tienes problemas en la rodilla. Recuerda también que al hacer la postura el movimiento no se inicia desde la rodilla.

Hacer la postura completa no está indicado para estudiantes principiantes. Sugiero que hagas esta postura bajo instrucción para no lastimarte y que en todo caso practiques antes la variación anterior. Esta es una de las posturas más avanzadas que existen. No te lastimes deseando hacerla si no tienes por lo menos un año practicando yoga.

NOTAS

1. Comunicación personal con el doctor Vasant Lad, 2000.

2. Georg Feuerstein, *The Yoga tradition*, p. 135.

3. Ibíd p. 135.

4. Comunicación personal con el doctor Vasant Lad, 2000.

5. *Karma*: efecto de nuestras acciones.

6. George Feurestein, op. cit., p. 136

7. Comunicación personal con el doctor Vasant Lad, 2000.

8. George Feurestein, op.cit., p. 140.

9. Comunicación personal con el doctor Vasant Lad, 2000.

10. Ibíd.

11. De acuerdo a las tradiciones védicas, existen cinco tipos de *prana* o fuerza vital.

12. Comunicación personal con Guru Dev Singh Khalsa, agosto, 2006.

13. David Frawley, *Yoga & Ayurveda*, p. 58.

14. Comunicación personal con Guru Dev Singh Khalsa, agosto, 2006.

15. Yogui Bhajan, Guadalajara, Jal., Nov. 28, 1992.

16. *Yogui té*: mezcla de cardamomo, pimienta negra, jengibre, clavo y canela con un poco de leche y miel.

17. Yogui Bhajan, Guadalajara, Jal., Nov. 28, 1992.

18. Shakta Kaur Khalsa, *Kundalini yoga*, p. 44.

19. Siri Kirpal Kaur Khalsa, *Yoga for prosperity*, p. 54.

20. Khalsa Gurucharan Singh, Ph. D. *Guidelines to a Succesful Sahdana*, p. 141.

21. Comunicación personal con el doctor Vasant Lad, 2000.

Parte III

Terapia ayurvédica y
Hatha yoga

La mente es muy difícil de cambiar, puede empezarse con el cuerpo. Si te sientas en mala posición todo el tiempo y quieres cambiar de actitud ante la vida, empieza por cultivar una postura correcta y todos los canales se van a alinear. Será más fácil cambiar la posición física del cuerpo que de la mente o los sentimientos.

Lama Tenzin Wangyal Rinpoche

Introducción

Cuando estudiaba ayurveda, tuve la oportunidad de practicar el yoga del perfeccionamiento del cuerpo físico: el *Hatha yoga*.

La práctica del *Hatha yoga* brinda arraigo y te permite reconocer la conexión con la tierra. Te enseña a ser flexible, a tener unas articulaciones sanas, a liberar los nudos y las tensiones del cuerpo, te brinda equilibrio y concentración y un estado de alerta. Además, mejora el estado de salud en general.

Las posturas de Hatha yoga que más adelante describo, son especiales para *vata*, *pitta* y *kapha*. También se pueden practicar para mejorar tu salud y regresar a tu equilibrio. Sugiero que se realicen en casos de agravamiento de cualquiera de los *doshas*, aunque aquí se refieran a ciertos síntomas particulares.

Ansiedad e insomnio (*vata*)

¿Cómo hacer para mantenernos ecuánimes en cada situación de la vida o con cada persona? Hoy en la ciudad y mañana en el campo. Del sonido de las ambulancias al de los árboles; del olor a drenaje, al olor de las flores frescas y jardín mojado; de un ambiente contaminado, a percibir el aire puro...

¿Cómo hacer para mantenernos estables y presentes? Sobre todo ¿cómo poder cultivar el agradecimiento por el sólo hecho de estar aquí, vivos?

Nos han dicho que si respiramos profundamente vamos a sentirnos mejor. Pero a veces nos olvidamos de hacerlo. Especialmente en momento cruciales. Temblamos de miedo porque pensamos que algo nos va a suceder o que algo nos van a quitar.

Por fortuna, siempre nos podemos reinventar y tenemos la oportunidad de intentarlo una vez más. Podemos observar la vida a través del flujo de cada inhalación, de cada exhalación; de cada inhalación y de cada exhalación... y de nuevo tener confianza.

Como aconsejan muchos maestros de yoga de la India

y de Occidente: "Si respiramos profundamente la ansiedad que sentimos se calmará".

Aunque a veces es muy difícil regresar ahí, hoy tenemos este momento, este preciso instante para empezar y estar presentes. Porque ya no queremos sufrir más. Porque queremos ser libres y felices y no depender de otros para estar bien. Porque no tenemos que etiquetarnos o casarnos con una u otra idea. Todo es posible y podemos escoger ser víctimas o no. Porque yo soy, porque tú eres, porque somos lo mismo, porque somos siendo, porque es el ser. Lo santo del espíritu, lo virtuoso de un trazo, el tono de las palabras o el color de la película eterna en la que vivimos.

Como dice Ernesto Sabato: "Podemos hacer de cada momento, de cada persona con la que nos relacionamos en la calle, un momento único en donde prestemos toda nuestra atención, presencia y escucha". Porque en este momento podemos agradecer el instante tal y como nos lo da la vida.

¡Que seamos felices y que veamos la vida con humor!

¡Que cada vez que nos reunamos sea porque vamos a elevarnos a nosotros mismos, entre nosotros!

Para que desde la impecabilidad de nuestro ser, podamos compartir ahora, en nuestras vidas, aceptando.

Seguramente te ha pasado que después de una larga jornada de trabajo en la que tuviste que trabajar por días enteros y con la carga de mucha responsabilidad, finalmente llegó el día de descansar. Ibas por el camino añorando un buen baño de agua caliente y soñando con la textura de las sábanas. Después del baño y totalmente agotado, pensando que entrarías en estados de sueño profundo, resultó que no lograste conciliar el sueño. Vueltas y más vueltas en la cama y nada.

Casi todos, en algún momento de nuestra vida, hemos tenido esta experiencia, sin embargo, hay muchas terapias que recomendamos en ayurveda, que pueden ayudarte a prevenir y a contrarrestar la cruda experiencia del insomnio.

La ansiedad está asociada con el insomnio, sentimientos de miedo y con desórdenes del sistema nervioso. El insomnio es un desorden común en el mundo contemporáneo. Puede relacionarse con el estreñimiento, el estrés y el exceso de cansancio. Puede ser un síntoma de depresión o intensificación de ésta. En promedio, una persona sana requiere de 6 a 10 horas de sueño.

Terapia para reducir la ansiedad y el insomnio

- Bebe un té calmante de valeriana o pasiflora.
- Prefiere los alimentos calientes, pesados y picantes.
- Toma un baño de hierbas. Si tienes tina, date un baño con agua tibia. O una vez al mes, hierve albahaca y romero en una buena cantidad de agua y permite que alguien cercano te dé un baño. Luego duérmete y relájate. Es importante que después del baño ya no salgas a la calle.
- Leche de almendra. Remoja 10 almendras durante la noche. Quítales la piel y vacíalas en la licuadora. Añade una taza de leche o jugo de soya y una pizca de jengibre, nuez moscada y azafrán.

• Para la ansiedad acompañada de palpitaciones, bebe una taza de jugo de naranja, acompañada de una cucharadita de miel de abeja y una pizca de nuez moscada.[1]

• Relájate sobre tu espalda, con las palmas de las manos hacia arriba por 10 minutos diariamente.

Tiempo de ir al médico

Todos hemos experimentado algunas veces preocupación y ansiedad. Pero si la ansiedad continúa por mucho tiempo e interfiere con tus ocupaciones sociales o tu trabajo, requiere de asistencia médica.

He aquí tres razones por las deberías de visitar al médico:

1. Si experimentas síntomas crónicos severos como falta de aire, presión o dolor en el pecho, mareo acompañado de tensión y preocupación.

2. Si tienes ataques de pánico o periodos cortos de miedo intenso.

3. Si evitas a la gente, lugares o situaciones con tal de evitar sentimientos de ansiedad.[2]

Alimentación

Para reducir la ansiedad y el insomnio prefiere los alimentos calientes y cocidos. Evita las verduras crudas que además tenderán a ocasionar gases. Consume alimentos que tengan grasas naturales y las avenas cocidas con un poco de manzana y pasitas para el desayuno. Vasant Lad recomienda consumir té de canela y jengibre.

• Un vaso de leche tibia con un poco de miel es ideal para generar descanso profundo.

• Se ha demostrado que las cerezas ayudan a liberar la fatiga y el estrés. Te sugiero que comas de 10 a 20 cerezas diarias para aliviar estas condiciones y para que puedas dormir.

• El té de manzanilla, famoso en todo el mundo, definitivamente te puede ayudar a conciliar el sueño.

Consejos adicionales:

a. Establece un horario regular para dormirte. Si cotidianamente te duermes a las 11:00 p.m., duérmete a esa hora, en lugar de tratar de dormirte antes.

b. Si tomas siesta, es mejor que sea a la misma hora, de preferencia a medio día y no mayor de 20 minutos.

c. Baja el ritmo de actividades al anochecer. Evita actividades como discutir o hacer las cuentas. Procura leer, tomar un baño, hacer posturas de relajación o respiración abdominal.

d. Usa una almohada para los ojos para dormir mejor.

e. Haz ejercicio diariamente.

f. Practica alguna o todas las posturas que se recomiendan para *vata*.[3]

Hatha yoga para *vata*
Recomendaciones generales:

1. Antes de empezar la práctica, pon la mente en calma y haz respiraciones profundas.

2. Te sugiero empezar haciendo posturas suaves para calentar el cuerpo.

3. No apresures al realizar las posturas, sobre todo en las posturas de equilibrio.

4. Trata de liberar la rigidez de una manera gradual y pausada.

5. Al realizar las posturas, procura conscientemente llevar el peso del cuerpo hacia la las extremidades inferiores y hacer un contacto firme con la tierra.

6. Siente una conexión de los brazos con el corazón.

7. Es importante que al terminar la práctica descanses en postura de relajación (*shavasana*) por lo menos 10 minutos.

8. Te sugiero buscar un equilibrio entre las posturas que incrementan la flexibilidad y las que incrementan el fortalecimiento.

9. Realiza el "saludo al sol" muy lentamente y poniendo atención en la respiración.

10. Preferir: el Iyengar yoga para encontrar el equilibrio y alineamiento; el yoga restaurativo y Sivananda yoga para aprender a descansar; y las meditaciones de Kundalini yoga para aquietar el ruido mental.

Pranayama

Técnica de respiración sugerida: *Surya Bhedana*

Respira a través de la fosa nasal derecha (tapando la fosa nasal izquierda con el dedo pulgar y los dedos como antena apuntando hacia arriba) es ideal para los tipo *Vata* cuando se sienten fatigados y necesitan energía.

Realiza de 13 a 26 repeticiones dejando una pequeña pausa después de cada inhalación y cada exhalación.

Rutina de Hatha yoga para *vata*:

1. Respiración profunda.
2. *Balasana.*
3. Perro mirando hacia abajo.
4. Posturas hacia delante. *Paschimottanasana.*
5. *Baddha Konasana*, mariposas y hacia delante.
6. *Viparita Karani*, en la pared.

1. Respiración profunda

Para realizar esta respiración, recuéstate sobre la espalda. Apoya los pies en el piso. Permite que tu espalda esté plana sobre la tierra. Reposa con suavidad tus manos sobre las costillas. Cierra los ojos. Relaja los hombros, el pecho y los brazos. Relaja el área de la cadera. Simplemente observa el movimiento de la respiración, la expansión y la contracción de cada inhalación y de cada exhalación. Observa la pausa que hay después de la exhalación y permanece ahí hasta que venga la siguiente inhalación por sí sola. Sigue observando este proceso. Después de 10 respiraciones profundas, baja tus manos a la altura del abdomen bajo. Y sigue observando tu respiración. Al inhalar ligeramente se expande el abdomen en la forma de un globo y al exhalar se desinfla. Después de 10 respiraciones naturales, respira conscientemente. Inhala y observa la expansión del abdomen. Haz una pausa de uno a dos segundos antes de exhalar. Exhala suave y uniformemente hasta que salga todo el aire y haz otra pausa de uno o dos segundos antes de volver a inhalar. La respiración profunda nos da calma, nos enseña a disminuir el ritmo y a silenciar la mente.

Beneficios

La respiración profunda tiene un efecto relajante y calmante para la mente. Además nos enseña a incrementar la capacidad del diafragma y a llevar oxígeno a los órganos y sistemas en el cuerpo.

Recientes investigaciones sugieren que algo tan sencillo como la respiración profunda, incluso para aquellos que nunca han sido practicantes de yoga, puede ayudar a reducir los efectos del estrés constante y cotidiano, incluyendo el aumento de la presión alta.[4]

2. *Balasana*

Inicia arrodillado y coloca la frente al piso. Lleva los glúteos hacia los talones. Presiona ligeramente el abdomen hacia los muslos. Ríndete a la postura. Suelta toda la tensión de los hombros, pecho, cadera y deja caer el peso del cuerpo soltando el control. Permite que la madre Tierra te sostenga. Permanece así 5 minutos.

Beneficios

Disminuye el gas, la indigestión y el estreñimiento; reduce el dolor de la espalda baja, ya que el estiramiento libera la presión en los discos vertebrales. Estira la cadera y tonifica los músculos de la pelvis; relaja los nervios de la ciática. Emocionalmente reduce la tensión nerviosa y promueve el amor a uno mismo. Es recomendable para contrarrestar las posturas invertidas.

Para muchos de nosotros, esta postura posee una memoria profunda de nuestra infancia a nivel físico y fisiológico. La forma de esta postura es muy útil por muchas razones, pero en particular porque te obliga a confrontar tus actitudes y patrones de respiración, y el nivel de atención para moverte desde el abdomen. Es una postura muy simple a nivel físico, que también requiere de nuestra paciencia y habilidad para rendirnos a la gravedad en un estado de no hacer.[5]

3. Perro mirando hacia abajo

La postura del perro mirando hacia abajo es energizante para *kapha*, de arraigo para *vata* y ayuda a equilibrar todos los *doshas*.

David Frawley

Empieza sobre cuatro puntos, sobre rodillas y manos. Permite que las palmas de las manos estén planas en el piso.

Abre bien todos los dedos de las manos y deja que las manos apunten al frente y no a los lados. Inhala y al exhala, estira las piernas levantando las caderas hacia el techo, estira los brazos y el dorso. Mete la barbilla al pecho. Flexiona las rodillas sin que lleguen al piso. Empuja las manos y estira más la columna hacia arriba. Trata de apoyar los talones en el piso. Para salir apoya las rodillas en el piso, baja la cadera apoyándote sobre los talones y relaja la frente en el piso. Permanece de 1 a 3 minutos en la postura y luego descansa en *balasana* o postura del niño.

Beneficios
Fortalece todo el sistema músculo-esquelético; fortalece los nervios y los músculos de las piernas y los brazos y proporciona vigor; lleva la sangre a la cabeza; estimula los órganos abdominales y permite que el corazón descanse. Brinda seguridad en uno mismo.

5. *Paschimottanasana*
Siéntate con las piernas estiradas al frente. Estira la espalda. Iniciando el movimiento desde los omóplatos y sin levantar los hombros, inhala y estira los brazos hacia el techo, siente el contacto de las piernas y los glúteos en el piso y estira la espalda, exhala.

Inhala, manteniendo la espalda recta, mueve el abdomen bajo hacia los muslos. Mantén los hombros atrás y el pecho abierto y con los dedos de tus manos, toma los dedos de los pies. Permanece en la postura por dos minutos tratando de relajar el pecho, la parte interna de los codos. Activa las piernas y pon atención en el contacto que tienen las piernas con el piso y así verás cómo la columna se alarga más. Mantén la respiración suave y no restrinjas la respiración. Al salir de la postura, conecta los brazos con tu corazón y haz una transición suave e integrada para regresar a la postura inicial *dandasana* (con las dos piernas estiradas). Cierra los ojos y permanece un momento observando las sensaciones que te produjo la postura.

Beneficios

En las posturas hacia delante, se calman los nervios de *vata* y les ayuda a tonificar el hígado, páncreas y riñones. Hay que mantenerla por 2 minutos para mejorar la presión de la sangre. Calma el cerebro.

Paschimo ttanasana regula *apana vayu* (la fuerza que desciende) y fortalece la digestión. Puede usarse para abrir el pecho y reducir *kapha*. Como en la mayoría de las posturas hacia adelante, ayuda en los desequilibrios de *vata* y es excelente para reducir *pitta*.[6]

6. *Baddha konasana*

Es importante hacer un calentamiento previo antes de hacer esta postura y de ninguna manera forzarte al realizarla. Si el área de tus caderas o ingles es muy rígida, te sugiero que te sientes sobre una cobija doblada. Apoya los isquiones sobre la cobija. Abre las rodillas hacia los lados de tal forma que las plantas de tus pies queden juntas. Encuentra un lugar en donde te sientas cómodo. Si te es posible toma los dedos de los pies. Cierra tus ojos. Siente el contacto de las partes de tu cuerpo que tocan el piso. Apoya las manos en el piso a la altura de la cadera. Los dedos van hacia delante. Presiona el piso con suavidad y observa cómo se alarga la columna vertebral. Trata de mantener una alineación de tu columna con tu cuello de tal forma que se forme una línea recta y busca el alineamiento integrando tus órganos internos. Siente la relación que hay del ano a la boca en donde se encuentra el tubo digestivo. Respira con suavidad dejando siempre una pequeña pausa entre la inhalación y la exhalación. Relaja los ojos, el pecho, los hombros y la parte interna de los codos. Si eres muy flexible, muy despacio ve llevando el abdomen hacia el piso y toma la parte externa de tus pies. La cabeza se dirigirá al piso. Al bajar, integra todo tu cuerpo y hazlo muy lentamente.

Es importante que explores las posturas de yoga con suavidad, y en especial en posturas como *baddha konasana* y *upavista konasana*, en donde si no tienes cuidado, fácilmente puedes ocasionarte un desgarre en los muslos.

Beneficios

Esta postura estimula los órganos abdominales, los ovarios y los riñones. Ayuda a hacer más flexible el área de la cadera y es excelente para erradicar la fatiga. Así mismo fortalece la vejiga y es invaluable para problemas menstruales y durante el embarazo.[7]

7. *Viparita karani*

Para hacer esta postura, necesitarás una pared y de preferencia de dos a tres cobijas.

Dobla las cobijas como se muestra en el cuaderno de posturas.

Ponlas en el piso muy cerca de la pared, separadas de ella por 5 cm. Cúbrete porque ésta es una postura restaurativa y es posible que baje la temperatura de tu cuerpo. Siéntate y dobla tus rodillas. Apoya todo el costado izquierdo y la parte externa de la pierna izquierda sobre la pared, de tal manera que las cobijas queden atrás de los glúteos. Apoya tus manos en el piso para ayudarte, poder girar las piernas, subirlas estiradas y apoyarlas en la pared. Los glúteos quedarán sobre las cobijas. Descansa la espalda en el piso y deja las piernas estiradas sin generar tensión. Cierra los ojos. Relaja la cabeza, el cuello, los hombros, el área del pecho. Los brazos están estirados y relajados por encima de la cabeza o a los lados del cuerpo. Permanece en la postura de 5 a 10 minutos y luego dobla tus piernas y gira hacia el lado derecho del cuerpo. Permanece en esa postura un minuto y suavemente sal de la postura.

Beneficios

Esta es una postura de descanso y relajación. Descansan las piernas y los pies al mismo tiempo que se estira la parte anterior de las piernas. Puede ayudar a reducir el dolor de cabeza cuando no es muy fuerte. Es una postura restaurativa que ayuda para recuperar la energía. Es ideal para mejorar la circulación y prevenir las varices.

Viparita karani es una postura de relajación que ayuda a mantener el pecho abierto y la respiración relajada al mover la sangre y la respiración hacia la cabeza y los hombros. Reduce el exceso de tensión en el cerebro y en la mente. Excelente para el dolor de cabeza, la migraña, la congestión nasal y para mejorar el flujo circulatorio en la cabeza. Puede usarse para equilibrar todos los *doshas*.[8]

Gastritis (*pitta*)

La gastritis es un dolor de estómago que puede venir acompañado de náusea, vómito y diarrea ocasional. Esto sucede cuando la pared del estómago se irrita. Es raro que una persona durante su vida no experimente alguna vez síntomas de gastritis. Comúnmente la causa es comer muchos alimentos grasosos o picantes, fumar o tomar bebidas alcohólicas en exceso. David Frawley se refiere al estómago como a la madre del resto del cuerpo y dice que este órgano habla sobre nuestro estado de nutrición y contentamiento. De esta forma, un desequilibrio no sólo puede ser provocado por tener una mala dieta, sino por preocupaciones o emociones negativas.

Causas:
1. Comer comida chatarra.
2. Consumir alimentos ácidos en exceso.
3. Beber muchos líquidos con tus alimentos.

4. Ingerir muchos alimentos calientes, picantes, ácidos o grasosos como la cebolla, el chile o el ajo.

5. Alcohol y tabaco.

6. Dejar de comer por muchas horas.

7. Tomar una aspirina diariamente, como en ocasiones es recomendado para prevenir enfermedades del corazón, también puede irritar el estómago.

Terapias sugeridas para la acidez, indigestión, gastritis

1. Evita el plátano, los pepinillos, el vino y el yogurt.

2. Evita el alcohol en general.

3. Evita alimentos ácidos, picantes, grasosos y calientes.

4. Incluir hinojo, anís y comino con los alimentos.

El hinojo puede ser un salvavidas cuando tienes un ataque de gastritis. Puedes comprar las semillas de hinojo en el mercado y traerlo en caso de emergencia. 4 o 5 semillas harán la diferencia.

5. Para mejorar la salud del estómago, el ayurveda sugiere que tomes dos cucharaditas de sábila, de preferencia de la planta, en ayunas.

6. La manzana rayada y cruda es muy buena para el tracto digestivo. Manzanas cocidas con un poco de canela, miel y cáscara de limón son, además de deliciosas, calmantes para el estómago irritado.

7. La papaya es un alimento de curación muy recomendable para problemas estomacales e intestinales. Mitiga la mayoría de los problemas intestinales. Para reducir la gastritis, incluye en tu dieta la papaya con un poco de nuez o almendra pelada.

8. Para la inflamación estomacal, bebe 360 ml. de jugo de pepino diariamente.

9. Para prevenir la indigestión puedes utilizar algunas especies como el cardamomo, cilantro, cúrcuma e hinojo.

10. En caso de padecer úlceras, colitis, presión alta, no comas cebolla cruda, ajo o jengibre seco.

11. Para evitar los gases estomacales, espolvorea pimienta negra sobre los alimentos.

Recuerda que lo más importante es eliminar la causa que te está ocasionando la gastritis. Observa si tu consumo de café, alcohol o tabaco ha aumentado; si estás o no comiendo a tus horas; si estás saltándote comidas. Y entonces modera tu dieta. El tofu fresco elimina el calor del cuerpo y puedes optar por seguir una alimentación basada en la dieta japonesa.

Hatha yoga para *pitta*
Recomendaciones generales:

1. Realiza una práctica de yoga suave.

2. Practica las posturas en un modo en que la práctica sea refrescante, nutriente, expansiva y relajante. Es bueno sentarse después de cada postura para liberar el estrés que se pudiera estar generando.[9]

3. Si se practican muchas posturas que generan calor, como el pararse de cabeza, practica una respiración refrescante al finalizar la sesión.

4. Entrégate a la postura y sé gentil con tu cuerpo.

5. Permite suavidad en la zona del plexo solar.

6. No te concentres en competir, ni en compararte con los otros practicantes.

7. Procura suavizar los ojos durante la práctica.

8. Busca un estado de calma mental.

9. Concentrate en posturas que ventilen el hígado, sitio principal de *pitta*.

10. Realiza posturas que disminuyan la gastritis, la irritabilidad, la impaciencia y el enojo.

11. Es recomendable para *pitta* y cualquier tipo de yoga que los instructores ayuden a realizar las posturas de forma pausada, refrescante y con ligereza.

La meditación, el Hatha yoga, Sivananda yoga, el yoga restaurativo, son ideales para enfriar el fuego de *pitta*.

Pranayama

Técnica de respiración sugerida: *sitlali pranayama*

Siéntate con las piernas cruzadas de tal modo que estés cómodo en la postura. Regálate un momento para relajar la mandíbula, para suavizar la tensión de la zona de los ojos y del área del abdomen. Trata de integrar los órganos, los fluidos, la estructura músculo-esquelética en tu campo de sensaciones. Suavemente saca la lengua y ponla en forma de "taquito". Inhala a través de la lengua suave y uniformemente. Haz una pausa. Exhala de forma lenta y relajada a través de la nariz. Haz una pausa. Continúa de 13 a 26 repeticiones.

Beneficios

Esta es una excelente técnica que funciona para refrescar el cuerpo, para liberar el enojo, la violencia, la ira y la irritabilidad. Ideal en casos de mareo, exceso de calor e indigestión. Sobre todo sugerida durante el verano y para personas que padecen de acidez y presión arterial alta.

Rutina de Hatha yoga para *pitta*:

1. *Salabhasana.*
2. *Uttanasana I.*
3. *Prasarita padottanasana.*
4. *Janu sirsasana.*
5. *Upavistha konasana.*
6. *Jathara parivartanasna.*

1. *Salabhasana*

Recuéstate sobre el estómago. Gira la cabeza hacia un lado. Permite que todo el peso del cuerpo y de los órganos internos caiga hacia el piso. Después de unas cuantas respiraciones, apoya la frente al piso y deja los brazos al costado del cuerpo con las palmas en el piso. Inhala y con la exhalación eleva las piernas, los brazos y el pecho fuera del piso. Toma cinco respiraciones suaves. No restrinjas la respiración y permite que sea suave y rítmica. Florece en la postura y al terminar sal de la postura despacio y descansa en la postura original. Observa los efectos de la postura.

Beneficios

Las posturas en donde el abdomen contacta con el piso, como *salabhasana*, *dhanurasana* o *bhugangasana*, tonifican el hígado, el estómago y el útero. Esta postura fortalece la espalda al tiempo que estimula los órganos abdominales. Mejora la respiración profunda y abre al área del pecho, mejorando la postura del cuerpo.

> Al hacer las posturas de yoga empieza desde donde te encuentras el día de hoy y ten la intención de trabajar con la estructura interna para que mueva la estructura externa.[10]

2. *Uttanasana* I

Ponte de pie con las piernas abiertas a la altura de la cadera. Abre los dedos de los pies como si fueran un abanico y apóyalos en el piso. Estira las piernas y distribuye el peso del cuerpo en los dos pies por igual. Visualiza elevar las rótulas. Estira la columna vertebral y el cuello hacia el cielo. Pon atención en la fuerza de los opuestos. Los pies empujan hacia el piso y entonces el tronco se alarga. Toma tres o cinco respiraciones profundas en esta postura.

Ahora inhala profundo, flexiona levemente las rodillas y cambia el peso del cuerpo a los talones. Sube los brazos y lentamente ve llevando la cadera hacia atrás, observa cómo baja el tronco y la cabeza integralmente, al mismo tiempo que exhalas lentamente. Con tus manos toma los codos, relaja el cuello hacia la barbilla. Mantén los pies activos. Continúa respirando largo, suave y profundo. Por un momento flexiona las rodillas y trata de elevar las caderas al cielo. Para salir de la postura estira los brazos paralelos al piso para que queden a la altura de los oídos. Inhala. Pausa. Presiona los pies hacia el piso y ve rotando la cadera para que el tronco y la cabeza regresen a la postura vertical. Al exhalar, deja los brazos a los lados del cuerpo, cierra los ojos por un momento y observa los efectos de la postura.

Beneficios

Uttanasana I es una postura que permite que el flujo de pensamientos disminuya al quedar la cabeza por abajo del corazón. Estira la parte anterior de las piernas, despeja la mente y libera la tensión de la columna vertebral. Así como todas las posturas hacia delante, es ideal para reducir *pitta*.

Contraindicaciones: Esta postura no se recomienda para personas que padecen de ciática.

¿Qué significa no entender intelectualmente? Ser tan neutrales hasta convertirnos en el sonido que escuchamos.[11]

3. *Prasarita padotanasana* I

Comienza de pie con los pies juntos. Abre las piernas a lo ancho del tapete. Abre las piernas hasta un punto en donde no te lastimes. Es importante que tus pies estén paralelos uno con el otro y los talones apunten ligeramente hacia fuera. Inhala. Activa los pies hacia el piso. Eleva el pecho al techo. Exhala y manteniendo la longitud de tu torso bájalo hacia delante, al tiempo que llevas las caderas hacia atrás. Apoya las yemas de los dedos en el piso a la altura de los hombros y extiende los codos por completo. Inhala y activa los pies y las yemas de los dedos en el piso al tiempo que alargas el torso hacia adelante. Exhala y baja de nuevo el torso. Relaja la cabeza y trata de mantener el cuello largo apuntando hacia el piso. Mira la punta de la nariz. Los dedos de las manos apuntan al frente. Si tienes la flexibilidad, lleva las manos a la altura de los pies y entra profundamente en la postura. Permanece en la postura un minuto. Para salir de la postura, pon las manos en la cintura. Inhala y alarga el torso para que quede paralelo al piso. Exhala en esa misma postura. Inhala y al exhalar regresa a una posición vertical. Inhala y exhala juntando los pies y regresando a la postura inicial. Al hacer esta postura, *pitta* la debe sostener por lo menos un minuto con una respiración suave, de forma gentil y liberadora.[12]

Beneficios
Esta postura estira y fortalece las piernas, tonifica los órganos abdominales, calma la mente y alivia el dolor de la espalda media. Ayuda en casos de dolor de cabeza, fatiga y depresión ligera.

Contraindicaciones: No se recomienda para personas que padecen molestias en la espada baja.

4. *Janu sirsasana*

Comienza sentado con las piernas estiradas. Abraza la rodilla derecha al pecho. Estira la espalda y respira un momento en esa postura. Pega el talón derecho a la ingle izquierda al tiempo que doblas la rodilla derecha al piso, abriéndose entonces la cadera. Estira suavemente la espalda. Inhala, rota el torso ligeramente a la izquierda y, al exhalar, entra en la postura tomando la parte externa del pie con las dos manos. Sigue respirando. Estira el torso y activa las piernas. Los metatarsos están activos apuntando al frente. Al respirar, permite que tu respiración llegue hacia la espalda y suelta el control. Con cada exhalación trata de relajar más y más la tensión de las ingles. No trates de llegar a ningún lugar. Desde el lugar en donde estás mantente presente y feliz. Empujar, jalar o cualquier agresión en el yoga, posiblemente sólo creará tensión y a la larga una lesión. Observa tu práctica de yoga. Mantener un nivel de curiosidad más que trabajar en lograr una meta específica, te ayudará a descubrir como todo cambia con el tiempo. Al hacer esta postura trabaja imaginando que la articulación es muy espaciosa. Siente tu respiración como un viento tibio soplando en tu articulación y suavizándola.[13]

Beneficios

Esta postura es ideal para refrescar a *pitta*, ya que al ser una torsión suave, estimula los riñones y el hígado. Es coadyuvante en casos de presión arterial alta, de insomnio y ayuda a reducir el ruido mental. Es ideal para darle flexibilidad a los hombros, muslos e ingles y una gran postura preparatoria previa para meditar. No está indicada en caso de asma, diarrea y lesiones en la rodilla.

5. *Upavistha konasana*

Siéntate en *dandasana* con las piernas estiradas y juntas. Mantén la espalda recta. Apoya las manos en el piso y ligeramente lleva tu espalda hacia atrás. Abre las piernas a lo ancho sin lastimarte y sólo hasta donde te sientas cómodo. Apoya las yemas de los dedos en el piso a la altura de la cadera y empuja ligeramente para que se enderece la columna. Estira las piernas por completo. Presiona con suavidad las piernas al piso. Presiona las yemas de los dedos para que se alargue aún más la columna. Inhala y exhala con suavidad. Lleva el tronco hacia delante manteniendo el cuerpo suave. Si te es posible, toma los dedos de los pies o si no toma las rodillas. Permanece relajado y estable respirando en la postura por un minuto o dos. Sal despacio de la postura.

Beneficios
Esta postura estira las piernas. Estimula los órganos abdominales, calma el cerebro y ayuda a que las ingles sean más flexibles. Incrementa la calma y la estabilidad.[14]

Contraindicaciones: no se recomienda para personas que padecen molestias en la espalda baja.

6. *Jathara parivartanasana*

Acuéstate sobre la espalda. Los pies y las piernas están juntos. Abre los brazos a los lados del cuerpo con las palmas de las manos hacia arriba. Inhala y estira las piernas a noventa grados, exhala y rola las caderas y las piernas hacia el lado derecho de tal modo que queden perpendiculares al cuerpo. Permanece en la postura de 1 a 2 minutos. Inhala y regresa al centro y exhala gira las piernas y la cadera hacia el lado izquierdo. Después de 2 minutos sal de la postura y descansa.

Beneficios

Reduce el exceso de grasa. Tonifica el hígado y brinda masaje a los órganos internos. Esta simple torsión es muy benéfica para mejorar la circulación a lo largo de la columna vertebral y de los *nadis* (canales energéticos en el cuerpo).[15]

Obesidad (*kapha*)

El sobrepeso es un exceso de *kapha* en nuestro sistema.

Causas:

1. Sedentarismo.
2. Comer en exceso.
3. Comer muchos lácteos combinados con bebidas frías.
4. Exceso de producción de la hormona del crecimiento.
5. Comer mucho durante el embarazo.
6. Comer emocionalmente.
7. Comer entre comidas.
8. El uso de esteroides o de algunos anticonceptivos.

Sugerencias desde la perspectiva del ayurveda para prevenir la obesidad:

• No sustituyas el amor por los alimentos.

Las personas que tienen amargura, eligen obtener la dulzura de la vida a través de los alimentos y se pueden convertir en adictos a los placeres que brinda el comer y llegar a ser eventualmente obesos. Las razones individuales que causan la obesidad varían, pero todas envuelven la determinación del ego de aferrarse tenazmente a su bien amada grasa, la que los provee de amor estable y calidez.

• Por lo tanto, cuando uno desea bajar de peso, es importante buscar el cariño de los seres queridos y solicitarles su apoyo.

• Nútrete y baja poco a poco de peso.

Las dietas intensas para aquellos que han comido muchos alimentos chatarras son poco eficientes. El doctor Svoboda comenta:

Estos cuerpos se han vaciado tanto de los nutrientes esenciales, que experimentan hambre severa cuando hacen dieta. Cuando los dietistas los regresan a sus hábitos alimenticios regulares al finalizar la dieta, *ellos* queman menos calorías y guardan más grasa que antes de iniciar la dieta. Esto debido a que sus ritmos metabólicos han caído y sus cuerpos ahora están alertas y acumulan más grasa en caso de que otro episodio similar se repita.

• No resistas un antojo.

Resistir la tentación de no comer, por ejemplo, un postre, pero desearlo fervientemente, envía un mensaje al cerebro de que pronto vendrá algo dulce al sistema. Esto hace que la boca se "haga agua" y que los jugos digestivos empiecen a fluir, enviando señales a la insulina del cuerpo para que remueva algo de azúcar de la circulación general, para hacer un espacio para la nueva azúcar que pronto va a fluir por la sangre. El cuerpo guarda esta azúcar como grasa.

Puedes engordar sólo de desear, por ejemplo, un pastelito; es preferible comer unas cuantas cucharadas y ceder al antojo para evitar las bajas de azúcar repentinas.

• Evita las dietas rígidas, anfetaminas y nicotina. Ejercítate. Tanto las anfetaminas como la nicotina son sustancias altamente adictivas. Lo que hacen es que propician que la mente y el cuerpo trabajen más rápidamente. Ambos, la nicotina y las anfetaminas proveen el sabor dulce a la mente, pero no al cuerpo. Y una vez que la droga se remueve, entonces el deseo acumulado de nutrirse por los tejidos aumenta, provocando que el individuo coma excesivamente. Esto a su vez puede provocar culpa por la indisciplina en el comer e intentos aún mayores para perder el peso acumulado. Todo en conjunto agudiza la neurosis.

El ayurveda recomienda acelerar el funcionamiento del organismo por dos medios.

Con ejercicio: por lo menos una caminata de media hora diaria, o ejercicio aeróbico 4 o 5 veces por semana.

Con consumo de alimentos ligeros: evitar grasas, productos lácteos, azúcares refinados, quesos derretidos y carbohidratos saturados. Aunque es un proceso más lento, es más seguro.

• No hagas dietas, reduce la cantidad de consumo de alimentos.

No tengas prisa para bajar de peso. Estás tratando de crear a un nuevo tú. Esto requiere de profundos cambios y alteraciones, y es un progreso lento para permitir que la mente se ajuste a la nueva persona. Perder peso es una parte de la autotransformación que ocurrirá automáticamente.

• Respira profundo antes de comer.

La calidad de tu respiración es un punto importante para bajar de peso. Si sabes respirar profundamente, tu sistema se apoyará menos en la comida. Cuando sientas hambre, siéntate. Haz 10 respiraciones profundas. Si todavía tienes hambre, come, pero en la mayoría de las ocasiones, el hambre se habrá ido.

• Duerme de seis a ocho horas diarias.

Se recomienda que duermas y despiertes siempre a la misma hora. El número de horas sugerido es de seis a ocho horas diarias. Es recomendable despertarte al amanecer, lo más tarde a las seis de la mañana. No se aconseja dormir más de ocho horas a menos de que haya enfermedad. No es recomendable dormir durante el día, con excepción de una siesta de 15 minutos.

Alimentación

Evita la carne de puerco y de res. También la mantequilla, queso, helado y crema ácida, azúcar refinada y todos los productos que contengan azúcar. Bebidas alcohólicas, comida frita de cualquier tipo, comida chatarra y comida rápida. Alimentos muy agrios o salados como los pepinillos.

Es mejor seguir una dieta en donde se incluya la misma cantidad de proteína, carbohidratos, grasas y leguminosas.

Reduce la cantidad de comida que ingieres. Si estás acostumbrado a comer tres tortillas, consume únicamente una.

Evita los alimentos y bebidas muy fríos.

Consume tu mayor comida al mediodía y ten una cena muy ligera. Si te da hambre entre comidas, come pasas, apio o zanahorias.

Algunas hierbas que tienen un efecto positivo para perder el peso son: pimienta negra, hojas de frambuesa, cúrcuma y azafrán.

Muy importante:

- Piensa en amarte a ti mismo.
  Odiar la gordura es odiarse a uno mismo y esto disminuye el buen funcionamiento del sistema inmunológico. Olvídate de la gordura, piensa en recrearte a ti mismo.
- Mírate en el espejo y ama a la persona que ves.
- Deja de criticarte y compararte con los demás.

Remedio ayurvédico

Toma diariamente una cucharada de gel de sábila con media cucharadita de jengibre en polvo y media cucharadita de cúrcuma en polvo. Puedes hacerlo durante tres meses, descansar un mes y repetir.

LOS USOS DE LA SÁBILA

Por sus propiedades, la sábila (*aloe vera*), puede ser utilizada tanto a nivel externo como interno.

Para tratamientos de la piel, la sábila tiene multitud de aplicaciones y especialmente está indicado como antiinflamatorio ya que suaviza la inflamación de la piel y funciona como analgésico. En casos de quemaduras o una exposición prolongada al sol es regeneradora y un excelente cicatrizante para la piel. Destruye los microbios existentes en la superficie de la piel.

Si tienes la piel irritada, lastimada o acné, corta una hoja de sábila por la mitad y coloca la pulpa directamente sobre la piel por algunos minutos. Retira con cuidado. La sábila se puede consumir oralmente como bebida (jugo de las hojas o té de aloe) y en polvos y cápsulas. Es más recomendable en su forma natural. Excelente tónico para el hígado.

Hatha yoga para *kapha*
Recomendaciones generales para *kapha*:

1. Practica una *asana* vigorosa, que te estimule, incremente el fuego y haga sudar.

2. Ten una práctica fluida de *Vinyasa yoga*, así como *Kundalini yoga*.

3. Procura hacer las posturas de yoga con energía durante la práctica.

4. Haz las "salutaciones al sol" al estilo de *Ashtanga vinyasa yoga*.

5. Concéntrate en las posturas para abrir el área del pecho. Cualquiera en donde los brazos estén arriba de la cabeza ayudan.

6. Incluye torsiones para mover la energía bloqueada del estómago.

7. Levanta la energía del piso pélvico hacia el pecho y la cabeza.

8. Todas las posturas de pie son benéficas para *kapha*.

9. Practica posturas que liberen la tos, congestión, gripa, obesidad y letargo.

10. Las posturas invertidas son muy recomendables para abrir el área del pecho.

11. Realiza prácticas de *asana* que sean estimulantes, como el Ashtanga Vinyasa yoga, Power yoga o Anusara yoga. Es muy recomendable para *kapha*, practicar Kundalini yoga.

Bhastrika. Técnica de respiración sugerida para *kapha*.

Pranayama

Este *pranayama* genera calor en el cuerpo e incita la movilidad en los *kapha*. Les ayuda a incrementar el *agni*.

David Frawley explica cómo se realiza este *pranayama*:

Siéntate en una postura cómoda. Cierra la fosa nasal izquierda. Pon la mano izquierda encima de la rodilla izquierda. Inhala y exhala a través de la fosa nasal derecha sin detenerte, respirando profundamente y rápidamente al menos 10 veces. Inhala, reten el aire lo más que puedas y exhala a través de la fosa nasal izquierda, manteniendo la fosa nasal derecha cerrada. En la segunda ronda, cierra la fosa nasal derecha y respira del mismo modo descrito anteriormente, 10 veces, por la fosa nasal izquierda. *Bhastrika* es una forma de *pranayama* muy caliente. Libera *kapha* de la cabeza y del pecho. Incrementa el *agni* (fuego digestivo) y *prana* (fuerza vital). Contrarresta la tos y mucosidad. Puede agravar a *pitta*.

> Respiración 4:1
> Se inhala en 4 tiempos y se exhala en un tiempo. Se sugiere practicarla a media mañana. Restaura y refresca todo el organismo y energiza. Tiempo de práctica: 3 minutos.

Rutina de *Hatha yoga* para *kapha*:

1. *Urdhva hastasana.*
2. *Virabhadrasana* II.
3. *Ustrasana.*
4. *Dipada pidam.*
5. *Sarvangasana.*
6. *Halasana.*

1. *Urdhva hastasana*

Ponte de pie con las piernas abiertas a la altura de la cadera. Los pies no se abren hacia fuera. Distribuye el peso del cuerpo en los dos pies, principalmente en la zona de los metatarsos y los talones. Activa los pies hacia el piso, estira los músculos de las piernas y alarga la columna vertebral. Estira desde el cóccix hasta el tope de la cabeza. Los hombros deberán de mantenerse relajados y hacia abajo. Los brazos y las manos reposan a los lados del cuerpo. Toma de una a cinco respiraciones en esta postura. Tratando de mantener los hombros relajados, lleva los brazos a 90 grados intentando iniciar el movimiento desde los omóplatos y no desde los hombros. Presiona con suavidad los pies al piso y eleva las costillas, manteniendo la columna vertebral integrada y recta. Toma cinco respiraciones profundas. Sigue observando la fuerza que desciende hacia la tierra al empujar los pies al piso y la fuerza que asciende.

Observa la relación de cabeza, pies y cóccix con las manos, arraigando los pies a la tierra. Ábrete al universo. Como dice Rodney Yee en relación con esta postura, "conecta los pies con la mente, la mente con los pies y eleva la tierra a los cielos".[16] Baja los brazos, las costillas, los pulmones. Descansa y observa los efectos de la postura.

Beneficios

Esta postura ayuda a incrementar la cualidad de ligereza y abre los pulmones, generando una respiración profunda.

Establecerte en la postura trae reposo. Esto sucede después de acomodar con precisión las diferentes partes del cuerpo, de hacer las extensiones correctas y encontrar el equilibrio. Entonces hay paz y unidad interna. La mente llena cada partícula del cuerpo trayendo armonía. Esto es yoga.[17]

2. *Virabhadrasana* II. Postura del guerrero

Empieza de pie con los pies juntos y estira la espalda. Inhala y al exhalar abre las piernas a lo ancho. Dirige el pie derecho hacia fuera 15 grados y gira el pie izquierdo hacia la derecha 90 grados. El talón izquierdo deberá de estar alineado con el talón derecho. Activa las piernas presionando el piso con los pies. Desde el corazón, abre los brazos para que queden paralelos al piso y con las palmas de las manos hacia abajo. Relaja los hombros. Estira el cuello. Gira la cabeza con suavidad hacia el lado derecho. Inhala y al exhalar flexiona la rodilla derecha de tal modo que quede perpendicular al piso. Sigue respirando y abriendo las ingles para profundizar en la postura. Eleva la caja torácica a partir de la cadera y abre el pecho. Permanece un minuto en la postura. Para salir, inhala y al exhalar regresa a la posición inicial.

Beneficios

Esta postura estira las piernas, da flexibilidad a las ingles, pecho y hombros. Es ideal para estimular la calma de *kapha* ya que proporciona vigor. Fortalece y estira las piernas. *Virabhadrasana* abre el pecho y los pulmones. Incrementa el *agni* y *vyana* (fuerza vital expansiva) y reduce *kapha*. Estabiliza y arraiga a *vata*.[18]

Contraindicaciones: no se recomienda para personas que padecen problemas de cuello, diarrea o presión arterial alta.

3. *Ustrasana*. Postura del camello

Arrodíllate y permite que tus piernas se encuentren abiertas a lo ancho de la cadera. Gira ligera e internamente los muslos. Pon tus manos en las caderas con los dedos apuntando hacia abajo. Inhala, presiona con suavidad los empeines al piso y eleva el pecho al tiempo que mueves los omóplatos hacia las costillas. Extiende el cuello sin forzarte. Si eres más flexible, apoya las manos en los talones con los dedos de las manos apuntando hacia los dedos de los pies. Lleva la cabeza hacia atrás sin presionar las vértebras cervicales. Permite que tu cabeza sea la continuación de tu columna vertebral y no la dejes colgada. No restrinjas la respiración. Quédate en la postura de 15 a 20 segundos. Sal de la postura usando los músculos de los glúteos y las piernas. Descansa suavemente en la postura del niño, *balasana*.

Beneficios

Esta postura fortalece los músculos de la espalda, mejora la postura y estimula los órganos del abdomen y el cuello. Estira, tonifica y extiende la columna vertebral; ayuda a corregir el alineamiento de los hombros y abrir el pecho; tonifica y fortalece el sistema digestivo, excretorio y reproductivo. Activa los riñones y estira el cuerpo por completo, lo cual tiene un efecto positivo en la glándula de la tiroides; remueve la fatiga física y mental; reduce el dolor de cabeza ocasionado por tensión y ayuda a prevenir el síndrome premenstrual. Esta sencilla postura invertida permite la movilidad de los hombros y abre el pecho.[19]

Contraindicaciones: no se recomienda para personas que padecen presión alta o baja, migraña, insomnio y complicaciones serias en la espalda baja o cuello.

4. *Dipada pidam*. Postura del puente

Empieza recostado sobre la espalda con las piernas apoyadas en el piso. Los pies apuntan al frente, no a los lados. La espalda está plana sobre el piso. Relaja el pecho, la zona de los hombros, ingles y caderas. Sube los dedos de los pies y ábrelos como si fueran un abanico. Arraiga los pies a la tierra presionándolos con suavidad hacia el piso. Baja los dedos de los pies al piso y sigue atento a la conexión de tus pies con la tierra. Inhala y al exhalar presiona los pies al piso y sube la cadera hacia el techo. Empuja los brazos hacia el piso para que se eleve más la cadera. Respira suave y profundo. Explora cómo puedes mantenerte relajado y cómodo en la postura. No fuerces la respiración. Después de 5 o 10 respiraciones descansa por unos momentos y repite la postura.

Beneficios

Incrementa la flexibilidad de la columna vertebral y de los hombros; elimina el dolor de la espalda baja y fortalece los músculos y las ingles. Mejora la digestión y tonifica los órganos reproductivos femeninos. Reduce *pitta* en la zona de los riñones y la vejiga. Emocionalmente ayuda a reducir la frustración, el enojo reprimido, el estrés y el complejo de inferioridad. Da equilibrio mental. Esta versión activa del puente calma el cerebro y rejuvenece las piernas cansadas.[20]

5. *Sarvangasana*. Parado de hombros

Al principio esta postura puede ser todo un reto. Sin embargo, con el tiempo puede convertirse en una de tus posturas favoritas. Para que te sea más fácil entrar en la postura, usa dos cobijas. Empieza sentado y vete recostando hacia atrás hasta apoyar los hombros justo en la orilla de la cobija. Relaja el pecho y deja la espalda sobre el piso. Dobla tus rodillas hacia el pecho. Pon las manos en la cintura, impúlsate y eleva el torso y las piernas hacia arriba hasta que queden estiradas a 90 grados. Poco a poco desliza las manos para que queden lo más cerca de los hombros. Mantén las piernas activas estirando las ingles hacia los talones. No restrinjas la respiración y observa la sensación en el área de la tiroides.

Toma de 10 a 15 respiraciones y sal de la postura lentamente apoyando vértebra por vértebra en el piso. Cuando el sacro llegue al piso, dobla las rodillas y apoya los pies en el piso. Descansa unos momentos y obsérvate.

Beneficios

A esta postura se le conoce como la madre reina de todas las posturas, ya que favorece el flujo sanguíneo, permitiendo una mayor oxigenación, incrementa la vitalidad, reduce la anemia, mejora la memoria y fortalece el sistema inmunológico; calma el sistema nervioso y afecta todos los músculos abdominales. Emocionalmente ayuda a desarrollar la paciencia y la estabilidad emocional. Limpia el sistema y provee de energía. Ayuda en casos de crisis nerviosa, insomnio, estreñimiento y previene las venas varicosas y hemorroides. Esta postura regula *udana vaya* (la fuerza que asciende) y la congestión de la región del pecho. Reduce *kapha*. Es buena para purificar la sangre y nutrir el cerebro, la garganta y los pulmones. Alivia el dolor de cabeza y el hipotiroidismo.[21]

Contraindicaciones: no se recomienda para personas que padecen problemas en las vértebras cervicales, artritis de discos intervertebrales, glaucoma, dolor de hombros y discos fuera de lugar. Tampoco es recomendable realizarla durante la menstruación.

6. *Halasana*

Sentado con las piernas flexionadas y los brazos a los lados del cuerpo y paralelos al piso. Inhala y al exhalar lleva el cuerpo hacia atrás.

Empieza en la postura de *sarvangasana*. Inhala y al exhalar dobla desde las articulaciones de la cadera las piernas hasta que los dedos de los pies toquen el piso detrás de tu cabeza.

Entrelaza los dedos de las manos y estira las piernas de tal modo que sólo la punta de los dedos de los pies toque el piso. Estira bien las piernas y eleva las ingles y el cóccix hacia el techo. Relaja la zona de la garganta.

Empuja suavemente el piso con los brazos para que se eleven más las ingles. Permanece en la postura de 3 a 5 minutos.

Para salir regresa a *sarvangasana* y ve apoyando lentamente vértebra por vértebra en el piso. Cuando el sacro llegue al piso dobla las piernas y descansa.

Beneficios

Esta postura remueve la rigidez de los hombros y los codos. Mejora el funcionamiento del hígado, los riñones y el páncreas al producir insulina. Rejuvenece los órganos abdominales. Ayuda a la digestión. Estimula el timo y regula la función de la tiroides. Calma los nervios. Ayuda en casos de estreñimiento y de artritis en la espalda. Reduce el exceso de *kapha* acumulado alrededor de la cadera y el abdomen. Relaja la tensión del área intestinal. Con el tronco y las piernas por arriba de la cabeza, el cerebro se relaja.[22]

Contraindicaciones: no se recomienda para personas que padecen lesiones cuello y presión arterial alta. No es recomendable realizarla durante la menstruación, tampoco si no tienes experiencia en yoga.

NOTAS

1. Dr. Vasant Lad, *Ayurvedic Home Remedies*.

2. Ibíd.

3. *The New Harvard Guide to Women's Health*.

4. B.H. Sung. Fuente: www.yogajournal.com

5. Peter Sterios. Fuente: www.yogajournal.com

6. David Frawley, *Yoga & Ayurved*, p. 98.

7. Siva, Mira & Shyam Mehta, *Yoga: The Iyengar way*.

8 David Frawley, *Yoga & Ayurveda*, p. 105.

9. Ibíd.

10. Comunicación personal con Bonnie Bainbridge Cohen.

11. Rodney Yee, *The poetry of the body*, p. 235.

12. David Frawley, op. cit.

13. Cindy Lee. Fuente: www.yogajournal.com.

14. David Frawley, op. cit.

15. Ibíd.

16. Rodney Yee, op. cit., p. 233.

17. Silva, Mira & Shyam Mehta, op. cit.

18. David Frawley. op. cit. p. 241.

19. Silva, Mira & Shyam Mehta, op. cit.

20. Fuente: www.yogajournal.com

21. David Frawley, op. cit., p. 245.

22. Silva, Mira & Shyam Mehta, op. cit.

Conclusión
Yo soy tú en estado meditativo. Funcionar en la vida es un arte

El camino del ayurveda nos invita al equilibrio. No es la renuncia absoluta. Vivamos las experiencias de la vida sin irnos a los extremos. Todas las emociones existen: la dicha, la tristeza o la rabia. Hasta el mismo caos es natural.

Más allá de identificarnos con alguna de esas emociones, hay que darles un espacio y dejarlas que simplemente sucedan. Todo viene y se va.

Observemos nuestra cotidianidad. Nuestra relación con el espacio, con las personas o con lo que comemos, sin juzgarnos. El amor aumenta en la medida en que el juicio disminuye.

El ayurveda nos recuerda que somos lo que pensamos y que cada pensamiento tiene un efecto. Si pensamos que somos miserables, eso somos; si pensamos que somos seres llenos de problemas, eso somos. Pero si pensamos que somos sanos y felices, estamos enviando vibraciones positivas y sanas que se reflejarán en nuestra vida. El ayurveda nos da la oportunidad de existir de forma sana y equilibrada.

Todo nos concierne. Es nuestra responsabilidad estar sanos o con la úlcera desgarrándonos el estómago. Mientras llevemos una vida balanceada poco a poco descubriremos qué es lo que realmente necesita nuestro cuerpo.

Por otra parte, el yoga, en cualquiera de sus ramas, es una disciplina para aprender a bien vivir y a bien morir. Para liberarnos del *karma* y de la rueda de la vida que nos trae de regreso.

¿Cómo queremos vivir? ¿Cómo queremos morir?

El yoga nos permite liberar la rigidez de la espalda, estirar las vértebras, de mantener oxigenado el cuerpo y respirar amplia y correctamente.

La meditación nos permite ver lo que es, renovarnos en el silencio.

La devoción nos invita a inspirarnos para cultivar una vida de gozo, un espíritu pacífico y generoso.

Nuestro presente, nuestras relaciones, nuestras acciones (impecables o no), nuestro caminar en cada instante en la vida (con gracia o no), es nuestro mañana.

Afortunadamente hoy tenemos la vida.

Cambiar hábitos es un proceso que sigue su propia inercia, observemos con paciencia. Empecemos poco a poco pero con constancia. Seamos gentiles con lo que es.

Observemos sin querer controlarlo todo. Lo que la vida va a ofrecernos, muchas veces es mucho más hermoso de lo que imaginábamos.

Todo se arregla por sí solo.

Que la luz infinita y divina que habita en nuestros corazones nos inspire.

Que libere los obstáculos que nos impiden vivir en plenitud y en amor los unos con los otros.

Que todos seamos felices, sanos, abundantes y armoniosos.

Que el amor sea.

Ana Paula Domínguez
Ciudad de México, septiembre 4, 2006.

Mensaje de Yogui Bhajan

Hoy es un día de bendiciones, el mundo está cambiando muy rápidamente. Ve alrededor y comprende que estamos aquí, juntos, como una familia de humanos que sostenemos el futuro en nuestras manos. Los pensamientos que pensamos, las palabras que decimos, las cosas que hacemos hoy crean nuestro mañana. Ojalá no tomemos esta responsabilidad a la ligera. Para mí, la vida es una oportunidad de traer a Dios a la Tierra y no tener que ir a buscarlo al cielo. Que este día esté marcado por la bondad y la compasión. Muy bendecidos son aquellos que viven en paz, que están en paz y que comparten paz y traen la paz a otros. Espero que podamos ver todo desde la luz con que cada vida es bendecida. Que la luz de cada corazón sea nuestra luz y que la presencia del Supremo Creador se sienta en nosotros y en cada criatura y vibre en todo lo que existe.

Mensaje que envió el maestro Yogui Bhajan a la comunidad interreligiosa de México, dirigido con motivo del encuentro por la paz en donde estuvo presente Su Santidad el Dalai Lama.

Octubre 4, 2004.

ANEXO 1. TABLA DE LOS ELEMENTOS

ESPACIO	AIRE	FUEGO	AGUA	TIERRA
Cavidades en el cuerpo	Respiración	Enzimas digestivas	Orina	Huesos
Espacio entre las articulaciones	Gas en el colon	Temperatura corporal	Plasma	Dientes
Porosidad del hueso	Impulsos nerviosos	Brillo	Líquido cerebro-espinal	Uñas
Libertad	Respuestas motor	Calor	Fluidos en el cuerpo	Minerales
Amor	Circulación		Secreciones	Materia fecal
			Lágrimas	Tejidos sólidos
				Piel

ANEXO 2. TABLA DE LAS CUALIDADES

	FRÍO		CALOR
Manifestación física, mental y emocional	Entumecimiento, gas, falta de circulación, pies y manos frías, dolor, rigidez		Piel caliente, enojo, ira, violencia. Buena digestión
Alimentos y ambiente	Toronjil, coco, pepino, verduras crudas y sandía. Clima frío, viento		Cebolla, ajo, chile, jengibre seco, uva roja, toronja, tamarindo, miel de abeja, maíz, cacahuate, pimienta, clavo, albahaca. Mantequilla. Todas las carnes, pollo y mariscos con excepción de pavo y conejo

	PESADO		LIGERO
Manifestación física, mental y emocional	Letargo, pesadez, huesos pesados		Zumbidos en el oído. Pérdida de peso. Insomnio. Anorexia. Inestabilidad. Mareo. Cuerpo ligero
Aumentan la cualidad	Pizza, carne, embutidos, quesos. Exceso de proteína. Estilo de vida sedentaria		Palomitas de maíz. Ayuno prolongado, vuelos aéreos, escalar, comida insuficiente, correr, saltar

	BLANDO		FILOSO, AGUDO
Manifestación física, mental y emocional	Músculos suaves, celulitis, cerebro, lengua, ojos		Úlcera, colitis, peritonitis, inflamación. Exceso de investigación, concentrarse agudamente, intelecto penetrante
Aumentan la cualidad	Queso derretido, gelatina		Chile, café, tabaco, alcohol, chocolate amargo, vinagre
	OLEOSO		**SECO**
Manifestación física, mental y emocional	Piel hidratada, cabello graso, acné, caspa, bilis, secreciones sebáceas		Voz o piel seca, estreñimiento, cabello seco, articulaciones que truenan, deshidratación, rigidez, labios partidos, impotencia, hemorroides, fisuras
Aumentan la cualidad	Mantequilla, cacahuates, mantequilla de ajonjolí o de cacahuate, crema ácida, comida frita		Pan tostado, fruta deshidratada, tostadas. Clima seco.
	VISCOSO		**ÁSPERO**
Manifestación física, mental y emocional	Mucosa en el cuerpo, plasma, saliva, fluido linfático		Piel áspera, artritis, osteoporosis. Actitud crítica
Aumentan la cualidad	Queso, leche, yogurt, crema		Verduras crudas, frijoles, tostadas, piel de la almendra. Clima árido, exceso de viento

	DENSO		LÍQUIDO
Manifestación física, mental y emocional	Piel gruesa, uñas, dientes		Saliva, fluidos en el cuerpo, jugos digestivos, sudor, diarrea
Aumentan la cualidad	Grasas, carnes, ajo		Melones, cítricos, agua
	SUAVE		DURO
Manifestación física, mental y emocional	Tejidos en el cuerpo, piel suave, cerebro		Dientes, huesos. Músculos tensos, expresión intensa
Aumentan la cualidad	Bombones, gelatinas, flanes, ates		Zanahoria, rábano, granos, carnes
	ESTÁTICO		MÓVIL
Manifestación física, mental y emocional	Dientes, oído interno. No hacer nada, estilo de vida sedentario, rigidez		Movimiento, locomoción, respiración, sistema circulatorio, digestivo, mente dispersa, ansiedad, tics nerviosos, actividad
Aumentan la cualidad	Minerales		Jengibre, alga espirulina, café, té verde y té negro, chocolate, exceso de movilidad

	SUTIL		TOSCO
Manifestación física, mental y emocional	Campo electro-magnético. Esca-lofríos, ansiedad, miedo, nerviosismo, inseguridad		Movimientos brus-cos, obesidad
Aumentan la cualidad	Alcohol, chocolate. Aislamiento, meditación		Carnes, quesos, embutidos
	OPACO		CLARO
Manifestación física, mental y emocional	Cataratas, lagañas, esclerosis múltiple		Pensamiento claro, percepción clara. Aislamiento
Aumentan la cualidad	Cigarros, grasas, alcohol		Jengibre, agua. Ayuno, altitud elevada, vuelos aéreos

ANEXO 3

Cuestionario para conocer tu constitución físico-mental

Para tener un mapa de cuáles son los elementos y cualidades predominantes en nuestra constitución física, prosigamos contestando el siguiente cuestionario.

Instrucciones para contestar:

- Encontrarás tres bloques de columnas.
- Contesta tu cuestionario dos veces.
- La primera vez que contestes el cuestionario, selecciona

las categorías con las que te hayas identificado a lo largo de tu vida, aunque ahora hayan cambiado. Le puedes pedir a un familiar que te ayude a realizar este cuestionario que será el resultado de tu *prakruti*, tu constitución en equilibrio.

• Anota el número de categorías seleccionadas en cada columna.

• Al finalizar tendrás un número en cada columna. El número mayor, corresponderá a tu *prakruti* o constitución físico-mental. Por ejemplo:

Vata 7   Pitta 9   Kapha 4

Esto quiere decir, que la energía que predomina en ti actualmente es *pitta*, la secundaria *vata* y la que menos predomine en ti es *kapha*.

La segunda vez que contestes el cuestionario, reflexiona en tu estado actual y selecciona las categorías con las que te identifiques en este momento de tu vida.

CUESTIONARIO 1

CUERPO FÍSICO	LA MENTE Y EMOCIONES	SÍNTOMAS EN DESEQUILIBRIO
Piel seca y áspera	Indecisión	Pierdo peso
Piel fría	Mucho entusiasmo	Insomnio
Uñas frágiles o delgadas	Dispersión mental	Gas y estreñimieto
Cabello seco	Fluyen las ideas pero es difícil llevarlas cabo	Sensación de caos
Ojos chiquitos o muy separados entre sí	Buena memoria de eventos recientes	Nerviosismo y ansiedad
Articulaciones muy marcadas, pueden tronar con facilidad	Pienso mucho y cambio mucho de ideas	Hablo mucho y muy rápido
Poco pecho	Intuitivo	Paranoia
Nariz muy grande o desviada	Es difícil seguir una rutina	Miedo
Venas y tendones prominentes	Introspectivo	Fatiga, fácilmente viene el cansancio
Complexión delgada	Romanticismo	Angustia
Dientes irregulares	Me gusta gastar	Preocupación
Total:	Total:	Total:
	Total global *Vata*:	

CUESTIONARIO 2

CUERPO FÍSICO	LA MENTE Y EMOCIONES	SÍNTOMAS EN DESEQUILIBRIO
Piel humectada, ligeramente grasosa	Poco pacientes con los demás	Gastritis, acidez y/o, úlcera
Temperatura de la piel caliente	Mente organizada, clara y eficiente	Enojo, ira y violencia
Tengo pecas y lunares	Perfeccionismo	Estreñimiento
Cabello tendiente a graso	Deseo de querer controlarlo todo	Tendencia a diarrea
Tendencia a tener ojos rojos, mirada alerta, penetrante	Ordenado y metódico	Irritación en la piel
Tendencia a piel rojiza o amarilla	Irritabilidad	Exceso de ingesta de alcohol o alimentos
Pecho mediano	Extremista	Tendencia a criticar al otro y a sí mismo
Tendencia a tener canas prematuramente o a la calvicie	Inteligencia, competitividad y ambición	Arrogancia
Tendencia al acné	Estructura, planea y lleva a cabo eficazmente	Si no como a mis horas, puedo enojarme mucho
Complexión mediana	Gasto en lujos	Egocéntrico
Uñas lustrosas, rosadas y bien formadas	Coraje y valor	Orgulloso
Total:	Total:	Total:
	Total global *Pitta*:	

CUESTIONARIO 3

CUERPO FÍSICO	LA MENTE Y EMOCIONES	SÍNTOMAS EN DESEQUILIBRIO
Piel gruesa y bien lubricada	Mente estable, calmada y constante	Apego
Temperatura de la piel tibia	Paciencia y humildad	Envidia
Uñas grandes, duras y pálidas	Compasión y tendencia a escuchar al otro	Tendencia a ser posesivo
Cabello grueso, lustroso, tiende a ser grasoso	Tendencia a ser muy maternal o paternal	En desequilibrio manifiesta depresión profunda
Ojos grandes, acuosos, tranquilos, blancos y limpios	Una vez que lo deciden, se comprometen por largo tiempo	Tendencia a congestión, tos, resfriado
Cadera y muslos tienden a ser anchos	Gusta de dormir mucho y le cuesta trabajo despertarse	Tendencia a subir de peso con facilidad
Pecho prominente	Generosidad	Tendencia a retener agua
Voz dulce y melodiosa	Tolerancia	Pasividad y letargo
Huesos fuertes y articulaciones bien lubricadas	Calmado y complaciente	Tendencia a dormir de más
Complexión robusta	Le gusta acumular recuerdos	Puede gastar emocionalmente
Dientes grandes, blancos y lubricados	Tendencia a ser muy ahorrativo	Avaricia
Total:	Total:	Total:
	Total global *Kapha:*	

Dosha principal (Total global mayor):
Dosha secundario (Total global intermedio):
Dosha terciario (Total global menor):

ANEXO 4.
TABLAS DE LAS CUALIDADES DE LOS ALIMENTOS

ALIMENTOS CON ENERGÍA CALIENTE

FRUTAS	CUALIDAD	*VATA*	*PITTA*	*KAPHA*
Durazno	líquido, pesado	disminuye	aumenta	disminuye
Cerezas	líquido, ligero	disminuye	aumenta	disminuye
Toronja	ácido	disminuye	aumenta	aumenta
Kiwi	pesado	disminuye	aumenta	aumenta
Limón con semilla	ácido, jugoso	disminuye	aumenta	aumenta
Papaya	pegajoso, pesado	disminuye	aumenta	aumenta
Piña	intenso, pesado	disminuye	aumenta	aumenta
Tamarindo	caliente	disminuye	aumenta	aumenta

VERDURAS	CUALIDAD	*VATA*	*PITTA*	*KAPHA*
Betabel	suave, pesado	disminuye	aumenta	disminuye
Zanahoria cruda	suave, pesado	disminuye	aumenta	disminuye
Zanahoria cocida	suave, pesado	disminuye	disminuye	disminuye
Chiles verdes	caliente, intenso	disminuye	aumenta	disminuye
Maíz fresco	ligero, seco y áspero	aumenta	aumenta	disminuye
Berenjena	pesado, pegajoso	aumenta	aumenta	disminuye
Hongos	pesado, suave, seco	aumenta	disminuye	disminuye
Cebolla cocida	digestiva	disminuye	disminuye	disminuye

		VATA	PITTA	KAPHA
Cebolla cruda	pesado	aumenta	aumenta	disminuye
Pimiento	seco, ligero, estimulante	aumenta	disminuye	disminuye
Rábano	pesado, líquido, áspero	aumenta	aumenta	disminuye
Jitomate	pesado	aumenta	aumenta	aumenta
Calabaza	pesado, líquido	disminuye	aumenta	aumenta
ENDULZANTES	**CUALIDAD**	*VATA*	*PITTA*	*KAPHA*
Miel de abeja	caliente	disminuye	aumenta	disminuye
GRANOS	**CUALIDAD**	*VATA*	*PITTA*	*KAPHA*
Avena cruda	pesado	aumenta	aumenta	disminuye
LEGUMINOSAS	**CUALIDAD**	*VATA*	*PITTA*	*KAPHA*
Frijol negro	pesado, duro, áspero	disminuye	disminuye	aumenta
Miso	fermentado	disminuye	aumenta	disminuye
Salsa de soya	fermentado	disminuye	aumenta	aumenta
LÁCTEOS	**CUALIDAD**	*VATA*	*PITTA*	*KAPHA*
Mantequilla	ligero	disminuye	disminuye	aumenta
Quesos añejados	pesados, grasosos	disminuye	aumenta	aumenta
Queso cottage	ligero	disminuye	disminuye	disminuye
Crema ácida	pesado, pegajoso	disminuye	aumenta	aumenta

PRODUCTOS ANIMALES	CUALIDAD	VATA	PITTA	KAPHA
Carne de res	pesado	disminuye	aumenta	aumenta
Pollo	pesado, pegajoso	disminuye	aumenta	aumenta
Huevos	pesado, pegajoso	disminuye	aumenta	aumenta
Salmón	pegajoso, caliente	disminuye	aumenta	aumenta
Atún	caliente	disminuye	aumenta	aumenta
Puerco	pesado, pegajoso	aumenta	aumenta	aumenta
NUECES	CUALIDAD	VATA	PITTA	KAPHA
Almendras con piel	grasoso, pesado	disminuye	aumenta	aumenta
Cacahuate	grasoso, pesado	disminuye	aumenta	aumenta
Pistache	oleoso	disminuye	aumenta	aumenta
SEMILLAS	CUALIDAD	VATA	PITTA	KAPHA
Calabaza	pesado, oleosos, duro	disminuye	aumenta	disminuye
Ajonjolí	pesado, oleoso	disminuye	aumenta	aumenta
ACEITES	CUALIDAD	VATA	PITTA	KAPHA
Maíz	seco, áspero, caliente	aumenta	aumenta	disminuye
Girasol	lubricante, fortalece	disminuye	aumenta	aumenta

ESPECIAS	CUALIDAD	VATA	PITTA	KAPHA
Anís	ligero, desintoxica	disminuye	aumenta	disminuye
Albahaca	caliente	disminuye	aumenta	disminuye
Pimienta negra	seco, intenso, digestivo	disminuye	aumenta	disminuye
Cardamomo	ligero, oleoso, digestivo	disminuye	en moderación disminuye	disminuye
Canela	seca, ligera, oleosa	disminuye	en moderación disminuye	disminuye
Clavo	ligero, oleoso	disminuye	aumenta	disminuye
Ajo	pesado, oleoso	disminuye	aumenta	disminuye
Jengibre fresco	ligero, digestivo	disminuye	en moderación disminuye	disminuye
Jengibre seco	ligero, digestivo	disminuye	aumenta	disminuye
Orégano	estimula digestión	disminuye	aumenta	disminuye
Sal	pesado	disminuye	aumenta	disminuye
Cúrcuma	seco, ligero, digestivo	disminuye	disminuye	disminuye

ALIMENTOS CON ENERGÍA FRÍA

FRUTAS	CUALIDAD	VATA	PITTA	KAPHA
Manzana cruda	ligero, áspero	aumenta	disminuye	disminuye
Manzana cocida	ligero, áspero	aumenta	aumenta	disminuye
Aguacate	pesado, grasoso, suave	disminuye	disminuye	aumenta
Plátano	suave, ligero	aumenta	disminuye	disminuye
Coco	duro, grasoso	disminuye	disminuye	aumenta
Dátil	pesado, energiza	disminuye	disminuye	aumenta

Higos	pesado, energiza	disminuye	disminuye	aumenta
Melones	pesado	disminuye	disminuye	aumenta
Peras	seco, áspero, pesado	aumenta	disminuye	disminuye
Granada	oleoso	aumenta	disminuye	disminuye
Ciruelas	suave, laxante	disminuye	disminuye	disminuye

VERDURAS	CUALIDAD	VATA	PITTA	KAPHA
Espárrago	suave	disminuye	disminuye	disminuye
Brócoli	seco, áspero	aumenta	disminuye	disminuye
Coliflor	pesado, seco	aumenta	disminuye	disminuye
Apio	seco, áspero, ligero	aumenta	disminuye	disminuye
Cilantro	delicado	disminuye	disminuye	disminuye
Pepino	suave, líquido	disminuye	disminuye	aumenta
Hinojo	diurético, laxante	disminuye	disminuye	disminuye
Lechuga	líquido, ligero, áspero	aumenta	disminuye	disminuye
Camote	suave, pesado	disminuye	disminuye	aumenta
Papa	seco, ligero, áspero	aumenta	disminuye	disminuye
Espinaca	seco, ligero, áspero	aumenta	en moderación disminuye	disminuye
Calabaza	pesado, líquido	disminuye	disminuye	aumenta

ENDULZANTES	CUALIDAD	VATA	PITTA	KAPHA
Azúcar morena	líquido, pegajoso	disminuye	disminuye	aumenta

Azúcar blanca	pesado, grasoso	aumenta	disminuye	aumenta
Maple	ligero, fortalece	disminuye	disminuye	aumenta

GRANOS	CUALIDAD	VATA	PITTA	KAPHA
Amaranto	ligero	disminuye	disminuye	disminuye
Avena cocida	pesado	disminuye	disminuye	aumenta
Arroz blanco	suave	disminuye	disminuye	aumenta
Trigo	pesado, laxante, grasoso	disminuye	disminuye	aumenta

LEGUMINOSAS	CUALIDAD	VATA	PITTA	KAPHA
Garbanzo	pesado, áspero, duro	aumenta	disminuye	disminuye
Lenteja roja	ligero, suave	aumenta	disminuye	disminuye
Frijol mongo	ligero, seco	disminuye	disminuye	en moderación disminuye
Tofu		en moderación disminuye	aumenta	en moderación disminuye

LÁCTEOS	CUALIDAD	VATA	PITTA	KAPHA
Mantequilla	pegajoso, pesado, une	disminuye	en moderación disminuye	aumenta
Leche de vaca	laxante, pesado	disminuye	disminuye	aumenta
Mantequilla clarificada	digestivo	disminuye	disminuye	disminuye
Leche de cabra	ligero, genera mucosidad	disminuye	disminuye	disminuye

PRODUCTOS ANIMALES	CUALIDAD	*VATA*	*PITTA*	*KAPHA*
Carne de búfalo	pesado, denso	disminuye	disminuye	aumenta
Carne de conejo	áspero, seco, astringente	aumenta	disminuye	disminuye
Pavo	astringente	aumenta	disminuye	disminuye

NUECES	CUALIDAD	*VATA*	*PITTA*	*KAPHA*
Almendras peladas	grasoso, pesado, energiza	disminuye	disminuye	aumenta

SEMILLAS	CUALIDAD	*VATA*	*PITTA*	*KAPHA*
Palomitas de maíz	seco, ligero, áspero	aumenta	disminuye	disminuye
Psyllium	seco, ligero, áspero	disminuye	disminuye	disminuye
Semilla de calabaza	oleoso, ligero, suave	disminuye	disminuye	disminuye

ESPECIAS	CUALIDAD	*VATA*	*PITTA*	*KAPHA*
Cilantro	ligero, oleoso, suave	disminuye	disminuye	disminuye
Comino	digestivo	disminuye	disminuye	disminuye
Hinojo	delicado,	disminuye	disminuye	disminuye
Menta	laxante	disminuye	disminuye	disminuye
Rosa	dulce	disminuye	disminuye	disminuye
Vainilla	dulce, astringente	disminuye	disminuye	disminuye

ACEITES	CUALIDAD	VATA	PITTA	KAPHA
Olivo	pesado	disminuye	disminuye	aumenta
Cártamo	seco, áspero, ligero	aumenta	disminuye	disminuye

Fuente: Dr. Vasant Lad, The Ayurvedic Institute, 1994.

ANEXO 5. RECETA PARA PREPARAR *GHEE*

Ghee. La mantequilla sana

El *ghee* o mantequilla clarificada es un excelente digestivo. Nutre los tejidos del cuerpo y le da flexibilidad. Es un excelente vehículo para llevar las propiedades medicinales de las hierbas a los siete tejidos del cuerpo (tejido linfático, sanguíneo, muscular, adiposo, óseo, nervioso y reproductivo). No es recomendable en casos de colesterol alto o cuando se tienen muchas toxinas en el cuerpo.

Preparación de *ghee*

1 kilo de mantequilla sin sal

La preparación del *ghee* debe de ser un ritual, porque tendrás que estar muy atento para cocinarlo y que quede rico.

1. Pon la mantequilla en una olla gruesa y pesada a fuego medio hasta que se derrita.

2. Comenzarás a escuchar un sonido. Mueve la mantequilla ocasionalmente. Aproximadamente después de 12 a 15 minutos, olerás a palomitas de maíz y si observas la olla, se habrá formado una sustancia de color blanco en

el fondo. Cuando esta sustancia aclare y se vea del color del oro o muy clara, el *ghee* esta listo. En ese momento apaga la flama porque se puede quemar muy rápido. El *ghee* no debe de cocinarse por más de 18 minutos y no debe de tener color café.

3. Deja el *ghee* reposando hasta que esté tibio y quita toda la espuma que quede. Cuela el *ghee* en una tela de manta y lo que quede, es el *ghee* que consumirás, el resto, es la grasa que no quieres consumir. No es necesario que lo refrigeres. Guárdalo en un recipiente tapado. (Ver Doctor Vasant Lad y Usha Lad, *Ayurvedic Cooking for Self Healing*.)

ANEXO 6. RECETA PARA PREPARAR *KITCHERI* (PARA DESINTOXICAR EL ORGANISMO)

Kitcheri

Esta receta ayurvédica es benéfica para todas las constituciones físico-mentales en todas las temporadas del año. Receta para 4 a 5 personas.

- 1 taza de frijol mongo
- 1 taza de arroz basmati
- 1 cm. de jengibre fresco, pelado y picado finamente
- 2 cucharadas de coco rayado sin endulzar
- 1 manojo pequeño de hojas de cilantro
- 1/2 taza de agua
- 3 cucharadas de *ghee* (mantequilla clarificada).

1 1/2 centímetro de canela

5 semillas de cardamomo

5 clavos enteros

10 granos de pimienta negra entera

3 hojas de laurel

1/4 de cucharadita de cúrcuma

1/4 de cucharadita de sal

6 tazas de agua

Lavar el frijol mongo y el arroz hasta que el agua esté clara. Remojar el frijol mongo por un par de horas para que no genere gases.

En una licuadora poner el jengibre, cilantro y media taza de agua y licuar hasta que se haga líquido.

Calentar un sartén grande a fuego medio y añadir el *ghee*, la canela, los clavos, el cardamomo, la pimienta y las hojas de laurel. Mover por un momento hasta que huela fragante. Añadir los ingredientes de la licuadora a las especias, luego la cúrcuma y la sal. Mover hasta que esté ligeramente color café. Mover el frijol mongo y el arroz y mezclarlos muy bien. Ponerlos a hervir en 6 tazas de agua y cubrir hasta que hierva. Dejar hervir por cinco minutos y bajar la flama. Agregar los ingredientes licuados y dejar hervir de 25 a 30 minutos. Para servir, agregar el coco rallado. (Ver Dr. Vasant Lad y Usha Lad, *Ayurvedic Cooking for Self Healing*.)

ANEXO 7. TABLA PARA TENER UNA DIGESTIÓN EXCELENTE

Los SÍ	Los NO
Comer sólo cuando tienes hambre	Comer en exceso
Beber traguitos de agua al tiempo con tu comida	Combinación incompatible, de alimentos. Ver Anexo 4
Comer conscientemente, disfrutando del sabor	Comer entre comidas
Masticar por lo menos 32 veces los alimentos	Comer y hacer otra actividad
Agradecer los alimentos recibidos	Comer comida vieja o recalentada
Dejar vacía la tercera parte del estómago	Comer sin hambre
Reposar los alimentos en la sobremesa	Tomar bebidas si no tienes sed
Caminar por lo menos 120 pasos después de comer tus alimentos	Comer emocionalmente
Cocinar tu comida con amor	Comer mucho y por mucho tiempo
Ayuno de 12 horas de 7 de la noche a 7 de la mañana. Esto respeta el ciclo del anochecer y el amanecer y nos hace estar en mayor armonía	Comer si estás alterado o enojado
Es mejor que la comida más fuerte sea a mediodía. Tomar una cena ligera	Comer antes de dormirte

ANEXO 8. RECETA PARA PREPARAR *YOGUI TÉ*

Yogui té

Pimienta negra - Purifica la sangre

Vainas de cardamomo – Auxiliar digestivo

Clavo – Beneficios para el sistema nervioso

Canela – Fortalece los huesos

Raíz de jengibre – Cura resfriados y gripe y aumenta la energía.

La leche en el té ayuda a la fácil asimilación de las especias. Una pizca de té negro actúa como aleación para los ingredientes creando el equilibrio químico correcto. Diluido en agua o leche adicional, ayuda en gran medida al malestar de la dentición en niños pequeños. El *yogui* té puede prepararse con los ingredientes por separado. Se puede guardar en el refrigerador hasta por una semana.

A 2 litros de agua agrega:
15 clavos enteros
20 vainas de cardamomo verde (ligeramente trituradas)
15 gramos de pimienta negra gruesa
5 ramitas de canela de 5 cm., o su equivalente en ramitas más cortas
Rebanadas de raíz de jengibre

Hierve a fuego medio, tapa de 30 a 40 minutos (vierte agua conforme se evapora), luego agrega:
1 cucharadita de té negro
3 a 4 tazas de leche (al gusto)

Hierve. Apaga el fuego y agrega miel de abeja al gusto. Cuela y sirve.

Instituto Mexicano de Yoga A.C.
Directorio de escuelas de yoga en México.
Tel. (55) 52 90 74 39.
www.yoga.com.mx

AgoraLucis
Tel. 52 80 83 17
www.agoralucis.com.mx

Bound Lotus Kriya
www.boundlotus.com

Casa de Meditación Vipassana A.C.
Tel. (55) 52 86 58 41

Casa Tibet A.C.
Tel. (55) 55 14 04 43

Casa Zen
Tel. (55) 56 05 76 77

Dr. Dieter le Noir
(55) 52 07 52 80

Garuda: Asociación Cultural Tibetana A.C.
Tel. (55) 52 86 99 13
www.ligmincha.org

Ravi Kaur Khalsa
Sat Nam Rasayan (Guru Dev Singh Khalsa).
www.satnamrasayan.com.mx
www.gurudevsnr.com

Técnica Alexander para mejorar la postura
Betty Abulafia
Tel. (55) 55 31 71 26.
Tienda de yoga
www.tiendayoga.com

The Ayurvedic Institute
www.ayurveda.com

The Body mind centering school
Bonnie Bainbridge Cohen
www.bodymindcentering.com

Vippasana de acuerdo a la tradición del maestro Goenka
www.dhamma.org

Comida sana:

Aires de campo
www.airesdecampo.com

Los frutos prohibidos
Ámsterdam y Michoacán
Col. Hipódromo Condesa.

Restaurante Daikoku
Nuevo León esq. Campeche
Col. Hipódromo Condesa

The green corner
www.greencorner.com.mx

Bibliografía

Bhajan Yogui, *El poder curativo de los alimentos*, Fundación Cultural Kundalini, México, D.F., 1997.

Bourne, J. Edmund, PH.D., Brownstein Arlen, ND, Garano Lorena, *Natural Relief for Anxiety*, New Harbinger Publications, Inc., Oakland, Ca. 2004.

Brantley, Jeffrey, MD., *Calming your anxious mind*, New Harbinger Publicatios Inc., Oakland, Ca., 2003.

Carlson, Eisenstat, Ziporyn, *The New Harvard Guide to Women 's Health*, Cambridge, MA, 2004

Chapman, Jessie, *Yoga Therapies*, Ulyses Press, Berkely, Ca., 2003.

Das Ram, *Still Here*, Penguin Putnam Inc., New York, 2000.

Espinosa, Ambrosio, *El arte de la curación*, Fundación Sat Nam Rasayan, Ámsterdam, 1997.

Feuerstein, Georg, *The Yoga tradition*, Hohm Press, Prescott, AR, 2001.

Frawley, David, *Yoga & Ayurveda*, Lotus Press, Twin Lakes, WI, 1999.

Frawley, David and Kozak Summerfield Sandra, *Yoga for your type*, Lotus Press, Twin Lakes, WI, 2001.

Lad Vasant, *Ayurveda. The Science of Self-Healing: A practical guide*, Lotus Press, Santa Fe, 1984.

Lad Vasant, *The Complete Book of Ayurvedic Home Remedies*, Three Rivers Press, New York, NY, 1999.

Khalsa Gurucharan Singh, Ph. D. *Guidelines to a Succesful Sadhana*, Kundalini Research Institute, L.A. Ca., 1996.

Khalsa Gurucharan Singh, Ph.D., *Meditation Manual for Intermediate Students*, Kundalini Research Institute, L.A. Ca. 1979.

Khalsa Guru Terath, Ph.D., *The art of making sacred sex*, Yogui Ji Press, Santa Cruz, NM, 1998.

Khalsa Siri Kirpal Kaur, Ph.D., *Yoga for Prosperity*, Yogui Ji Press, Santa Cruz, NM, 2002.

Khalsa Shakta Kaur, *Yoga for Women*, D.K. Publishing Inc., New York, NY, 2002.

Salzberg, Sharon, *Lovingkindness. The revolutionary art of hapiness*, Shambala Publications, Inc., Boston, MA, 1995.

Saraswati Swami Satyananda, *Asana, Pranayama, Mudra, Bhanda*, Yoga Publications, Munger, Bihar, India, 2002.

Sharma, P.V., *Charaka Samhita*, Chaukhambha Orientalia, Delhi, India, 1981.

Silva, Mira & Shyam Mehta, *Yoga. The Iyengar Way*. Dorling Kindersley Book, London, 1990.

Svoboda, Robert, *Prakruti. Your Ayurvedic Constitution*, Lotus Light Publications, Wilmot, WI, 1998.

—— *Ayurveda for Women*, Healing Arts Press, Rochester, VE, 1999.

Thich Nhat Hanh, *The Heart of the Buddha 's Teaching*, Broadway Books, Berkeley, CA, 1998.

Tourless, Stephanie, *365 Ways to Energize Mind, Body & Soul*, Storey Publishing, North Adams, MA, 2000.

Tigunait, *Seven Systems of Indian Philosophy*, Himalayan Institute Press, Honesdale, PE, 1983.

Tiwari, Maya, *A life of Balance*, India Book Distributors, Rochester, VE, 1995.

Varona, Verne, *Nature 's Cancer Fighting Foods*, /Reward Books,Paramus, NJ., 2001.

Van Houten, Meter, MD. & McCord Rich, PH.D., *Healing therapies for overcoming insomnia*, Cristal Clarity Publishers, Nevada City, CA, 2004.

Yee, Rodney, *Yoga, the poetry of the body*, St. Martin's Press, New York, NY, 2002.

España
Av. Diagonal, 662-664
08034 Barcelona (España)
Tel. (34) 93 492 80 36
Fax (34) 93 496 70 58
Mail: info@planetaint.com
www.planeta.es

P.º Recoletos, 4, 3.ª planta
28001 Madrid (España)
Tel. (34) 91 423 03 00
Fax (34) 91 423 03 25
Mail: info@planetaint.com
www.planeta.es

Argentina
Av. Independencia, 1668
C1100 ABQ Buenos Aires
(Argentina)
Tel. (5411) 4382 40 43/45
Fax (5411) 4383 37 93
Mail: info@eplaneta.com.ar
www.editorialplaneta.com.ar

Brasil
Av. Francisco Matarazzo,
1500, 3.º andar, Conj. 32
Edificio New York
05001-100 São Paulo (Brasil)
Tel. (5511) 3087 88 88
Fax (5511) 3898 20 39
Mail: psoto@editoraplaneta.com.br

Chile
Av. 11 de Septiembre, 2353, piso 16
Torre San Ramón, Providencia
Santiago (Chile)
Tel. Gerencia (562) 431 05 20
Fax (562) 431 05 14
Mail: info@planeta.cl
www.editorialplaneta.cl

Colombia
Calle 73, 7-60, pisos 7 al 11
Bogotá, D.C. (Colombia)
Tel. (571) 607 99 97
Fax (571) 607 99 76
Mail: info@planeta.com.co
www.editorialplaneta.com.co

Ecuador
Whymper, N27-166, y A. Orellana,
Quito (Ecuador)
Tel. (5932) 290 89 99
Fax (5932) 250 72 34
Mail: planeta@access.net.ec
www.editorialplaneta.com.ec

Estados Unidos y Centroamérica
2057 NW 87th Avenue
33172 Miami, Florida (USA)
Tel. (1305) 470 0016
Fax (1305) 470 62 67
Mail: infosales@planetapublishing.com
www.planeta.es

México
Av. Insurgentes Sur, 1898, piso 11
Torre Siglum, Colonia Florida, CP-01030
Delegación Álvaro Obregón
México, D.F. (México)
Tel. (52) 55 53 22 36 10
Fax (52) 55 53 22 36 36
Mail: info@planeta.com.mx
www.editorialplaneta.com.mx
www.planeta.com.mx

Perú
Av. Santa Cruz, 244
San Isidro, Lima (Perú)
Tel. (511) 440 98 98
Fax (511) 422 46 50
Mail: rrosales@eplaneta.com.pe

Portugal
Publicações Dom Quixote
Rua Ivone Silva, 6, 2.º
1050-124 Lisboa (Portugal)
Tel. (351) 21 120 90 00
Fax (351) 21 120 90 39
Mail: editorial@dquixote.pt
www.dquixote.pt

Uruguay
Cuareim, 1647
11100 Montevideo (Uruguay)
Tel. (5982) 901 40 26
Fax (5982) 902 25 50
Mail: info@planeta.com.uy
www.editorialplaneta.com.uy

Venezuela
Calle Madrid, entre New York y Trinidad
Quinta Toscanella
Las Mercedes, Caracas (Venezuela)
Tel. (58212) 991 33 38
Fax (58212) 991 37 92
Mail: info@planeta.com.ve
www.editorialplaneta.com.ve

Grupo Planeta   MR es un sello editorial del Grupo Planeta   www.planeta.es